Writing, Audio & Video Activities Teacher's Edition

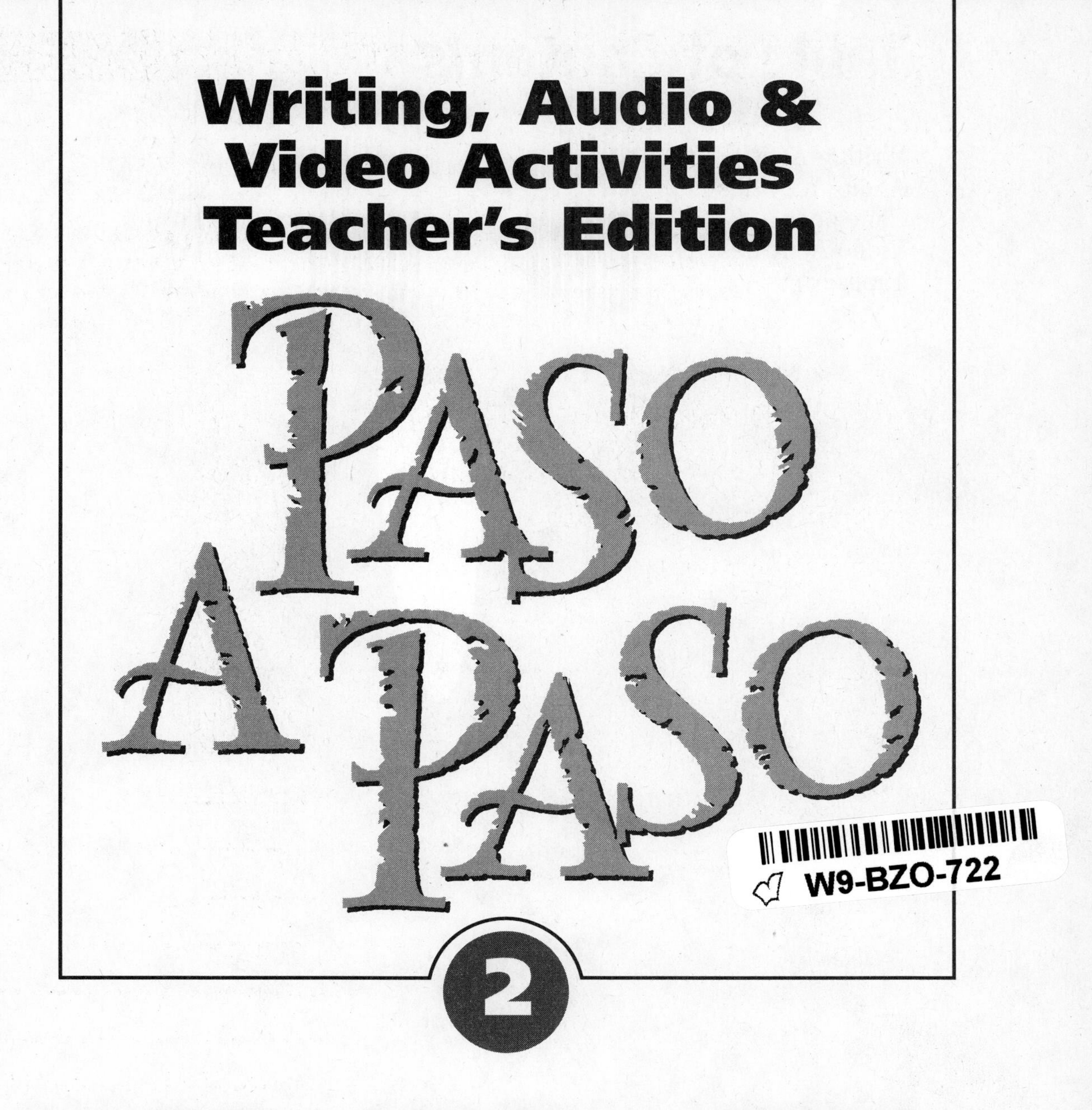

Writing Activities by
Janice G. Darias
Newton South High School
Newton Centre, MA

Audio Activities by
Peggy Boyles
Foreign Language Coordinator
Putnam City Schools
Oklahoma City, OK

Video Activities by
Jerry Cronin
Glenbrook South
High School
Glenview, IL

Scott Foresman

Editorial Offices: Glenview, Illinois

Regional Offices: San Jose, California • Atlanta, Georgia
Glenview, Illinois • Oakland, New Jersey • Dallas, Texas

Table of Contents

ISBN: 0-673-21679-9

678910-PO-040302

Front Cover Photo: © Haroldo Castro/FPG International
Back Cover Photo: © F. Català-Roca

Writing Activities

A You may not be famous yet like Conchita Martínez, but someday everyone may want to know what you were like as a young man or woman. Don't let fame catch you unprepared! Get your answers ready now by filling in the following information about yourself.

Nací en: ***Information will vary.***, el ______ de ______ de ______

Vivo en: ______

Mis colores favoritos: ______

Mi actor (actriz) favorito(a): ______

Mi pasatiempo favorito: ______

Me gusta(n): ______

______

No me gusta(n): ______

Admiro a: ______

Mi característica principal: ______

Me interesa(n): ______

Mi mejor momento en la escuela: ______

B Use the list of activities in the section titled *A ti, ¿qué te gusta hacer?* to complete your own list of most favorite and least favorite activities.

Me gusta mucho:	No me gusta nada:
Lists will vary.	______
______	______
______	______
______	______
______	______
______	______
______	______
______	______
______	______
______	______

Choose seven activities from your list. Then, take a poll to find out which of them your classmates like and which they dislike. First, fill in the activity column. Then, ask your classmates for their opinion of each activity. Make a mark in the appropriate column according to how they answer. Finally, total the scores and summarize what you have learned.

Actividad	Le gusta mucho	No le gusta nada
____	____	____
____	____	____
____	____	____
____	____	____
____	____	____
____	____	____
____	____	____

Los resultados de mi encuesta:

Answers will vary.

C Not everyone waits for the new year to make resolutions to improve him or herself. Some people change their habits at the beginning of the school year. Review the section titled *¿Bueno o malo para la salud?* and make a list of five things you want to start doing. (For example: *Este año voy a comer más frutas y verduras.)*

1. *Statements will vary.*
2. ____
3. ____
4. ____
5. ____

D What are your television viewing preferences? Answer the following questions. Then, compare your answers to those of a classmate.

1. ¿Qué clase de programa te gusta? Escribe un número del 1 al 7 para clasificar tus programas preferidos.

Answers will vary. Programas deportivos

____ Programas educativos

____ Comedias

____ Programas de detectives

____ Programas de entrevistas

____ Telenovelas

____ Programas musicales

2. ¿Qué piensas de los dibujos animados? ¿Son buenos o malos para los niños? ¿Por qué?

____

____

3. ¿Te gustan los programas de entrevistas? ¿Cuál te gusta más? ¿Cuál no te gusta nada?

____

____

4. ¿Cuál es tu programa favorito? ¿Por qué?

____

____

E In *Pasodoble,* you can enjoy some of the best cartoons from the previous year's magazines. Now, draw your own cartoon and write a funny caption to go along with it.

____

Nombre ____________________

Fecha ____________________

F Various vacation spots are described in the section titled *Vacaciones mágicas* in *Pasodoble*. Write your own description of a vacation spot that you know or would like to visit. It can be near your home or far away. Decide what kinds of tourists would like to vacation there, and then describe what visitors can see and do.

PARA LOS TURISTAS (atrevidos, aventureros, artísticos, prudentes…) ____________________

Descriptions will vary.

G Now that you have read the bio-poem of Ana Laura on pages 24 and 25 and have written your own poem, write a bio-poem about a classmate. Ask him or her some personal questions and then fill in the information in the form below.

Nombre: ***Content will vary.***

Cuatro adjetivos que lo/la describen: ____________________

El nombre de uno de sus padres: ____________________

A quien le encanta(n): ____________________

Quien se siente: ____________________

Quien necesita: ____________________

Quien ofrece: ____________________

Quien teme a: ____________________

Quien quisiera tener: ____________________

Quien quisiera ver: ____________________

Quien vive en: ____________________

Su apellido: ____________________

Paso a paso 2

Nombre ______________________________

CAPÍTULO 1

Fecha ______________________________

Writing Activities

A Find nine different school-related words in the puzzle. Use the clues to know what to look for.

- dos clases de matemáticas *álgebra*, *geometría*
- dos clases de ciencias *biología*, *química*
- dos idiomas diferentes *francés*, *alemán*
- tres lugares en la escuela *oficina*, *cafetería*, *auditorio*

F	R	A	N	C	E	S	H	G	I	L	R
S	O	M	C	A	F	E	T	E	R	I	A
A	L	G	E	B	R	A	G	O	E	N	U
L	N	T	S	Q	A	R	C	M	H	O	D
E	B	A	N	D	U	L	Q	E	C	P	I
M	C	L	O	F	R	I	O	T	R	E	T
A	E	P	C	M	A	S	M	R	E	C	O
N	C	B	I	O	L	O	G	I	A	L	R
F	A	T	A	S	I	G	I	A	C	G	I
E	S	C	E	O	F	I	C	I	N	A	O

B Write down four homework assignments that you have to do this week and for which class you're doing each one. Follow the model.

Para la clase de español tengo que estudiar el vocabulario nuevo.

1. *Statements will vary.*

2. ______________________________

3. ______________________________

4. ______________________________

Nombre ______________________

Fecha ______________________

C Name three things that you are allowed to do in your school. Follow the model.

Se permite comer en la sala de clases.

1. *Statements will vary.*
2. ______________________
3. ______________________

Now, name three things that you may not do in your school. Follow the model.

Se prohibe llevar pantalones cortos.

1. *Statements will vary.*
2. ______________________
3. ______________________

Finally, describe some other things that people commonly do in your school. Write complete sentences that correspond to the pictures and the clues provided. Follow the model.

director / hablar / 

El director habla en el escenario del auditorio.

1. estudiantes / hacer experimentos / 

Los estudiantes hacen experimentos en el laboratorio.

2. Julia y Leticia /  

Julia y Leticia hacen fila en la cafetería.

Nombre ______________________

Fecha ______________________

3. mis amigos / comer /

Mis amigos comen del bufet de ensaladas.

4. Juan Alberto / estudiar / [Don Quijote] española

Juan Alberto estudia literatura española.

D What time do the following people leave their houses in the morning in order to get to school on time? Follow the model.

Sra. Vásquez / 7:00 — *La señora Vásquez sale de la casa a las siete de la mañana.*

1. yo / 7:45

Yo salgo de la casa a las ocho menos cuarto (a las siete y cuarenta y cinco) de la mañana.

2. mis hermanos menores / 8:05

Mis hermanos menores salen de la casa a las ocho y cinco de la mañana.

3. Lola / 7:30

Lola sale de la casa a las siete y media de la mañana.

4. Ud. y Ricardo / 7:10

Ud. y Ricardo salen de la casa a las siete y diez de la mañana.

5. tú / 7:40

Tú sales de la casa a las ocho menos veinte (siete y cuarenta) de la mañana.

Nombre ____________________

Fecha ____________________

E Each of the following pairs of people is very much alike in some way. Follow the arrow to the adjective and then use it to describe how the two people are alike. Follow the model.

Antonio / Marta → inteligente *Antonio es tan inteligente como Marta.*

1. Luisa / Rosa → gracioso

Luisa es tan graciosa como Rosa.

2. mis padres / mis tíos → viejo

Mis padres son tan viejos como mis tíos.

3. María / Raúl → deportista

María es tan deportista como Raúl.

4. yo / tú → ordenado

Yo soy tan ordenado(a) como tú.

5. nosotros / Uds. → paciente

Nosotros somos tan pacientes como Uds.

F Think about the subjects you are studying this year. Write six sentences that describe which ones are the easiest, the most difficult, the most interesting, and the least interesting. Follow the model.

El álgebra es la clase más fácil de todas.

1. *Statements will vary.*

2. ____________________

3. ____________________

4. ____________________

5. ____________________

6. ____________________

Nombre ______________________________

Fecha ______________________________

G It's the first day of school and there is a new student, Miguel, in your class. Write questions that will help you determine which of the following people already know him. Follow the model.

Isabel — *¿Conoce Isabel a Miguel?*

1. tú — ***¿Conoces tú a Miguel?***

2. Uds. — ***¿Conocen Uds. a Miguel?***

3. la profesora — ***¿Conoce la profesora a Miguel?***

It turns out that everyone already knows him. Write down the answers you received to your questions. Follow the model.

Sí, Isabel lo conoce.

1. ***Sí, yo lo conozco.***

2. ***Sí, nosotros lo conocemos.***

3. ***Sí, la profesora lo conoce.***

H Your best friend moved out of the state over the summer but you want to keep in touch by writing, especially now that you are back in school.

Start your letter with a greeting. You might ask how your friend is and tell him or her how you are doing. Use the verb *estar.* Continue your letter by telling your friend what classes you are taking this year. Use the verb *tener.* Compare this year's classes to those you took last year. For example, is geography more interesting than history? Use *tan...como* or *más/menos...que.* Also, mention which is the best and worst class this year and why. Use the superlative forms of *mejor* and *peor.* Finally, tell your friend about some of your classmates, comparing them to each other. For example, maybe Marcos is taller than Luis this year. Don't forget to say who is the tallest, the most intelligent, or the most athletic student in class this year. End your letter with a brief closing.

Check your letter for correct spelling and accent marks. Make sure the verbs and adjectives are in the correct forms.

______________________:

Content of letters will vary.

Nombre ______________________

Fecha ______________________

I Look at the homework assignments for Ana and Tomás. Imagine that they are on their way home after the first day of school. Write a brief conversation in which they discuss their classes and their teachers. Also, Tomás wants to go to a movie with Ana tonight. How will Ana respond?

Ana

Tareas para el primer día de clases
Biología: leer el capítulo 1
Álgebra: hacer los problemas del 1 al 15 de la página 3
Alemán: estudiar para la prueba de repaso
Historia: leer los capítulos 1 y 2

Tomás

Tareas
Química: leer la introducción
Español: llevar a clase las diapositivas de mis vacaciones en México
Educación física: comprar un bolso nuevo

ANA: *Conversations will vary.*

TOMÁS: ______________________

ANA: ______________________

TOMÁS: ______________________

ANA: ______________________

TOMÁS: ______________________

ANA: ______________________

TOMÁS: ______________________

Paso a paso 2 Nombre

CAPÍTULO 2

Fecha

Writing Activities

A Complete the following puzzle by filling in the names of the activities described below.

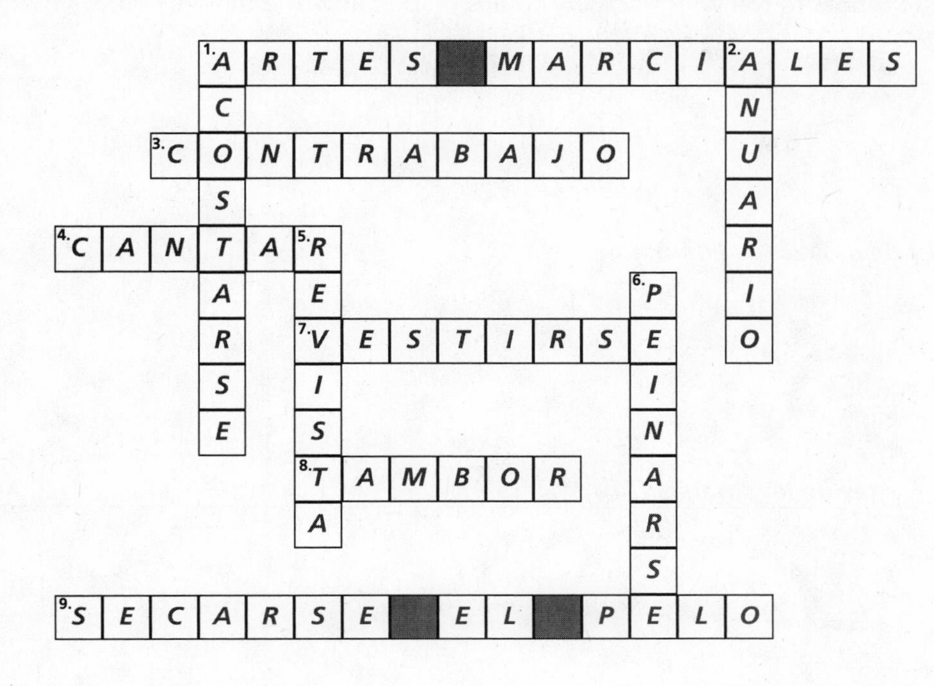

HORIZONTALES

1. practicar las

3. tocar el

4.

7.

8. tocar el

9.

VERTICALES

1.

2. participar en el

5. participar en la

6.

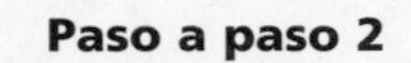

Paso a paso 2 Nombre ____

CAPÍTULO 2

Fecha ____ **Writing Activities**

B Look at these pictures of daily activities. In each case, it is necessary to do one before or after doing the other. Write sentences to tell which activity comes first. Follow the model.

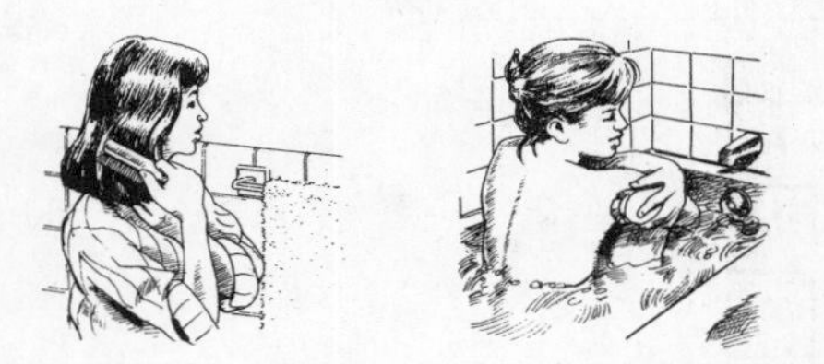

Hay que cepillarse el pelo después de bañarse.

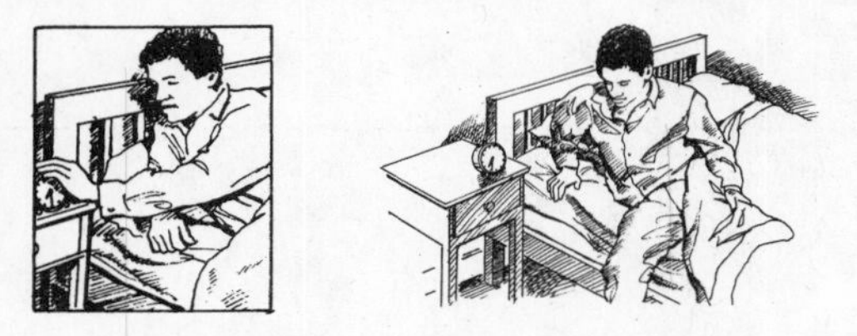

1. *Hay que despertarse antes de levantarse.*

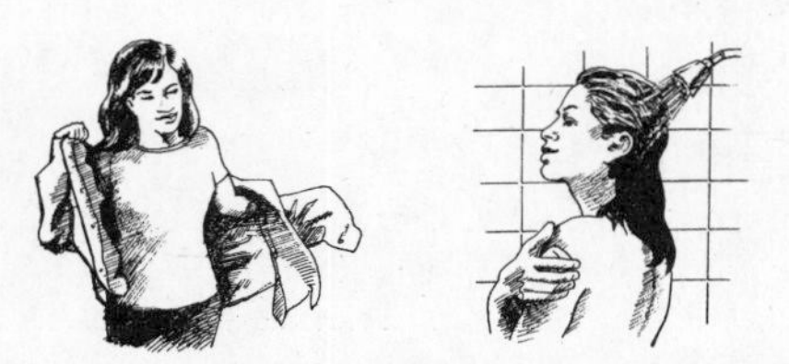

2. *Hay que vestirse después de ducharse.*

3. *Hay que bañarse antes de secarse el pelo.*

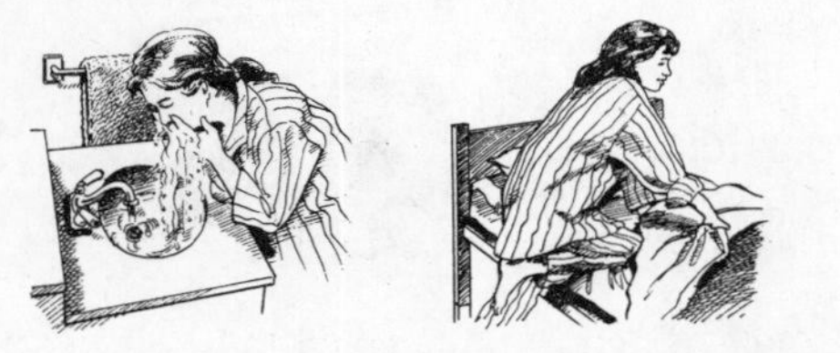

4. *Hay que lavarse la cara antes de acostarse.*

Nombre ______________________

CAPÍTULO 2

Fecha ______________________

C Ask six classmates which extracurricular activities they participate in and write down the information they provide. Follow the model.

Luisa escribe para la revista literaria.

1. *Statements will vary.*
2. ______________________
3. ______________________
4. ______________________
5. ______________________
6. ______________________

Now, find out what six other classmates do to earn money and write down that information. Follow the model.

Marcos trabaja en una tienda de música.

1. *Statements will vary.*
2. ______________________
3. ______________________
4. ______________________
5. ______________________
6. ______________________

Finally, write down an extracurricular activity in which you participate as well as what you do to earn money. Follow the model.

Soy miembro del club de español. También cuido niños para ganar dinero.

Statements will vary.

____

____

____

____

____

Nombre

Fecha

Writing Activities

D Four-year-old Luisita is the youngest of eight children. She is the first one downstairs this morning. Her mother wants to know what the other seven children are up to. Look at the pictures and then write down what each one is doing. Follow the model.

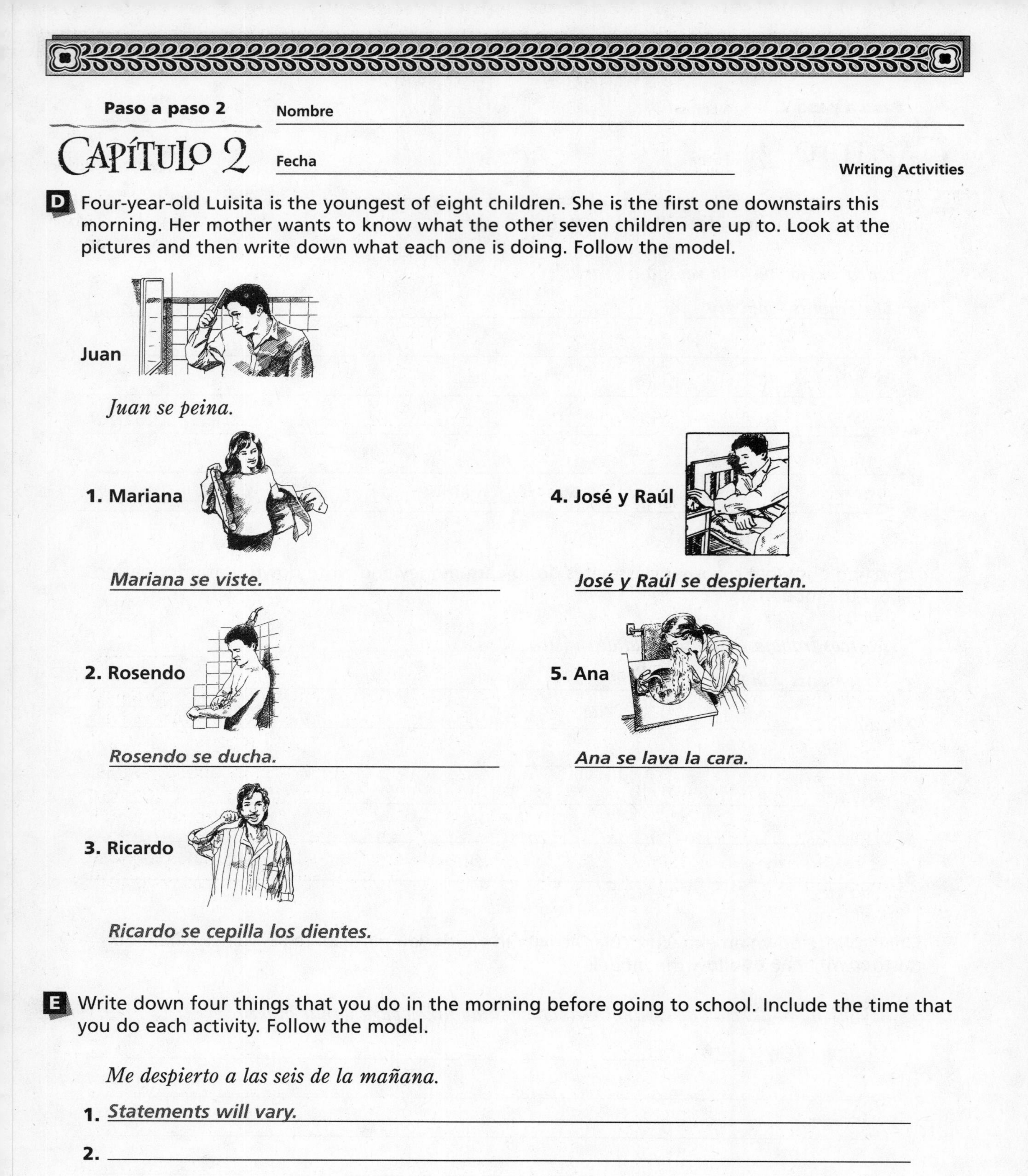

Juan

Juan se peina.

1. Mariana

Mariana se viste.

2. Rosendo

Rosendo se ducha.

3. Ricardo

Ricardo se cepilla los dientes.

4. José y Raúl

José y Raúl se despiertan.

5. Ana

Ana se lava la cara.

E Write down four things that you do in the morning before going to school. Include the time that you do each activity. Follow the model.

Me despierto a las seis de la mañana.

1. *Statements will vary.*
2.
3.
4.

Nombre ____________________

Fecha ____________________

F Felipe is studying ways to conserve water so he is asking some friends when they bathe each day. Everyone is talkative, so he decides to ask them what they do before or after bathing also. Write his notes in complete sentences. Don't forget to change the reflexive pronoun when necessary! Follow the model.

Lourdes / ver la tele / después

Lourdes ve la tele después de bañarse.

1. yo / tocar el clarinete / antes
   Yo toco el clarinete antes de bañarme.

2. Antonio y yo / hacer la tarea / después
   Antonio y yo hacemos la tarea después de bañarnos.

3. tú / escuchar música / después
   Tú escuchas música después de bañarte.

4. mis hermanos / repartir periódicos / antes
   Mis hermanos reparten periódicos antes de bañarse.

G At the beginning of each year, the school newspaper publishes an article about the students' extracurricular activities. This year you've been assigned to write that article. Before you begin writing, make a list of all the clubs, activities, and teams that exist in your school.

Begin by writing an eye-catching headline for your article. Start the article by asking readers if they want to participate in extracurricular activities. Use *¿Quieres participar en...?* Continue by mentioning some of the things they can do. For example: *Puedes ser miembro de....* You'll probably need several sentences to highlight the clubs, teams, and activities. Describe some of the clubs. For example: *El club de español es muy interesante.* End your article by saying why it's important to participate. Use *Es importante participar en las actividades extracurriculares porque....*

Check your article for spelling and accent marks. Make sure your adjectives agree in gender and number with the nouns.

Articles will vary. (Headline)

Nombre ______________________________

Fecha ______________________

H Verónica went away to college and now she is sharing an apartment with three other girls. Read the postcard she sent to some of her friends that are still in high school. Then, write her a postcard in which you describe your daily activities.

Queridos amigos:
Tengo un horario muy diferente aquí en mi nueva escuela. ¡Todos los días me levanto a las cinco y media! Necesito el despertador para despertarme. Somos cuatro en un apartamento pequeño. Sarita y yo nos bañamos antes de desayunar. Cecilia y Esmeralda se bañan después de desayunar. Tengo que hacer la tarea todas las noches. A veces me acuesto a las once. Los lunes y los martes trabajo como voluntaria en el hospital, pero no tengo tiempo para participar en otras actividades extracurriculares.
¡Escríbanme una tarjeta postal! (No tengo tiempo para leer una carta.)
Los quiero,
Verónica

Content of postcard will vary.

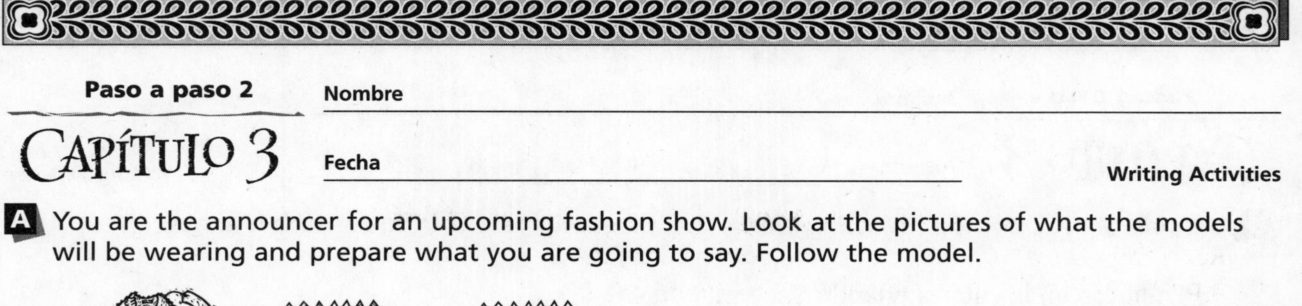

Paso a paso 2 Nombre

CAPÍTULO 3

Fecha

A You are the announcer for an upcoming fashion show. Look at the pictures of what the models will be wearing and prepare what you are going to say. Follow the model.

Julia 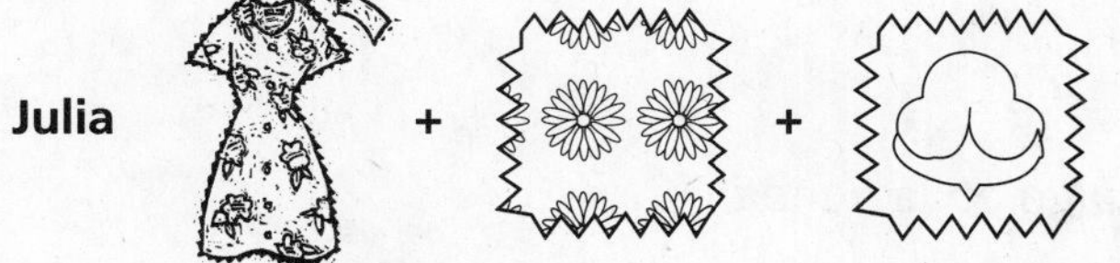

Julia lleva un vestido floreado de algodón.

1. Marta 

Marta lleva un traje de lana y zapatos de tacón alto.

2. Carlos 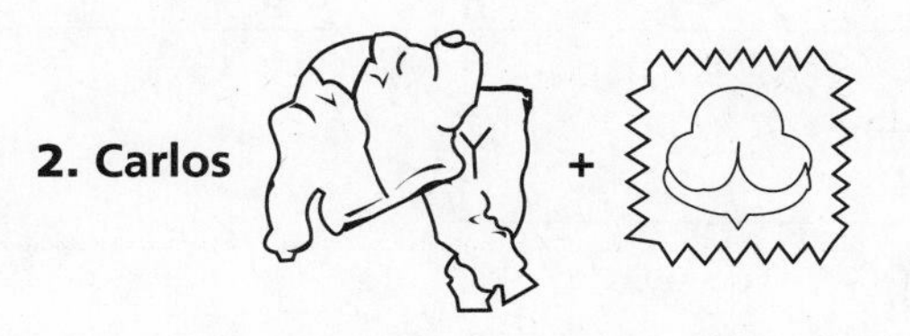

Carlos lleva un chandal de algodón.

3. Luisa 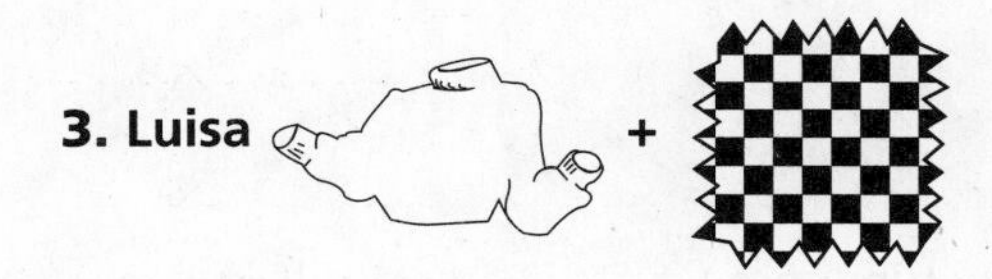

Luisa lleva un suéter de cuello alto a cuadros.

4. Alfredo 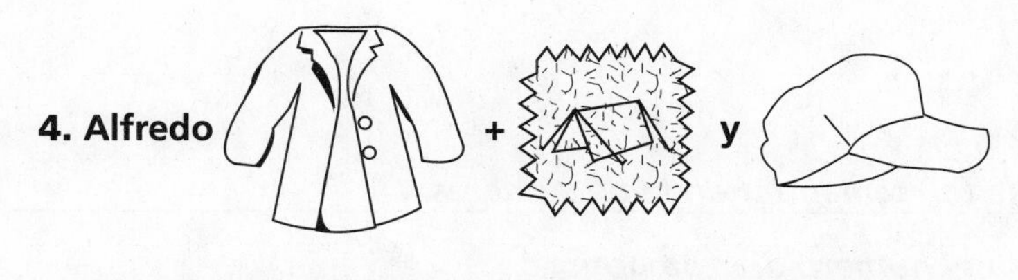

Alfredo lleva un chaquetón de lona y una gorra.

Nombre ____________________

Capítulo 3

Fecha ____________________

B Unscramble each of the following words. The clues will help you figure each one out!

1. La llevas en la cabeza cuando hace mucho sol.

ragor _g_ _o_ _r_ _r_ _a_

2. Esta persona toma tu dinero cuando compras algo en la tienda.

eorajc _c_ _a_ _j_ _e_ _r_ _o_

3. Es bueno para el frío. Tiene dos mangas y bolsillos.

ónaqcuhet _c_ _h_ _a_ _q_ _u_ _e_ _t_ _ó_ _n_

4. Es como una chaqueta, pero no tiene mangas.

ccleaoh _c_ _h_ _a_ _l_ _e_ _c_ _o_

5. Son zapatos muy cómodos.

coamissen _m_ _o_ _c_ _a_ _s_ _i_ _n_ _e_ _s_

6. Normalmente la guardas en un bolsillo o en un bolso.

rrtcaae _c_ _a_ _r_ _t_ _e_ _r_ _a_

7. Lo lees para comprar algo en tu casa.

ocotaglá _c_ _a_ _t_ _á_ _l_ _o_ _g_ _o_

8. Hay que usarlo para cerrar la camisa.

óbton _b_ _o_ _t_ _ó_ _n_

C David's birthday is coming up and his friends want to buy him some gifts. They don't know what size he wears, but you do. Write down the appropriate sizes for the following items. Follow the model.

pantalones = 32

Usa la talla treinta y dos de pantalones.

1. suéteres = grande — *Usa (el) tamaño grande de suéteres.*

2. botines = 10 — *Usa el número diez de botines.*

3. cinturón = 32 — *Usa la talla treinta y dos de cinturón.*

4. mocasines = 10 — *Usa el número diez de mocasines.*

5. chandal = mediano — *Usa (el) tamaño mediano de chandal.*

Nombre ______________________

Fecha ______________________

D Your grandmother had to miss the big family party yesterday because she was sick. You're calling her on the phone to tell her what everyone did. Follow the model.

mis padres / cantar / canciones viejas

Mis padres cantaron canciones viejas.

1. mis primos / comer / todo el flan
   Mis primos comieron todo el flan.
2. yo / jugar / videojuegos
   Yo jugué videojuegos.
3. Luisita / hablar / por teléfono
   Luisita habló por teléfono.
4. Juanito y yo / sacar / fotos de la familia
   Juanito y yo sacamos fotos de la familia.
5. yo / tocar / el piano también
   Yo toqué el piano también.

E In some stores there are very helpful clerks who assist customers in putting together stylish outfits. You want to know what goes well with each item as you point it out to the clerk. Look at the clue in parentheses to determine if the item is close to you, far from you, or very far from you. Then, ask the question. Follow the model.

(muy lejos) chaquetón

¿Qué va bien con aquel chaquetón?

1. (cerca) cartera
   ¿Qué va bien con esta cartera?
2. (muy lejos) chaleco
   ¿Qué va bien con aquel chaleco?
3. (lejos) pañuelos
   ¿Qué va bien con esos pañuelos?
4. (muy lejos) camisas a rayas
   ¿Qué va bien con aquellas camisas a rayas?

Nombre ______________________

Fecha ______________________

Now, write down the clerk's answers. Follow the model.

(muy lejos) chaquetón / (lejos) botines

Aquél va bien con esos botines.

1. (cerca) cartera / (muy lejos) bolso

   Ésta va bien con aquel bolso.

2. (muy lejos) chaleco / (cerca) blusa

   Aquél va bien con esta blusa.

3. (lejos) pañuelos / (lejos) traje

   Ésos van bien con ese traje.

4. (muy lejos) camisas a rayas / (cerca) jeans

   Aquéllas van bien con estos jeans.

F Write complete sentences in which you say that you have as many of the following items as do your friends. Follow the model.

Tengo tantos diccionarios como mis amigos.

1. 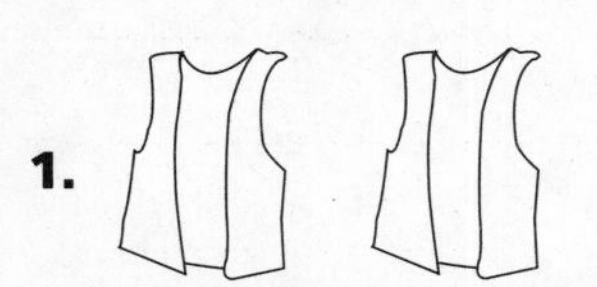

   Tengo tantos chalecos como mis amigos.

2. $

   Tengo tanto dinero como mis amigos.

3. ***Tengo tantas gorras como mis amigos.***

4. 

   Tengo tantos catálogos como mis amigos.

Nombre ______________________________

Fecha ______________________________

G You need to go shopping for more clothes, shoes, and accessories to wear at school, after school, and on the weekends.

Before you go shopping, make a list of the things you bought last year. Use *El año pasado compré....* Now, list some of the activities you do regularly during the week as well as on the weekends. For example, in addition to going to school you probably participate in a club or group, work, or do other activities on your own or with family and friends. Finally, list some clothes, shoes, and accessories that you need in order to do those activities. For example: *Necesito un bolso de lona para llevar mis libros a la escuela.* Don't forget to describe the items as specifically as you can so that you know what to ask for in the store. For example: *Necesito un chaleco a rayas para ir a la escuela.*

Check your sentences for correct spelling, and make sure that you have used accent marks where necessary.

Lists and statements will vary.

Nombre ______________________________

Fecha ______________________________

H Gloria and Manuel are opposites. Gloria hates to shop, but Manuel is a born shopper. She hates to spend money, but he loves spending every cent he has. She has absolutely no fashion sense, but he always wears the latest styles. Manuel thinks his mission in life is to help Gloria change her ways. This unlikely pair is walking through a huge shopping center that is having "the best sale of the year." What do you suppose their conversation is like? Write down what you think they are saying to each other.

¡Hay que divertirse en este mundo!
La vida es corta. Si quieres tener tantas cosas como tus amigos, usa la tarjeta de crédito más popular en el mundo.
La tarjeta de crédito del Banco Nacional te permite comprar:
• ropa • comida • y, ¡mucho más!

MANUEL: *Conversations will vary.*

GLORIA: ______________________________

MANUEL: ______________________________

GLORIA: ______________________________

MANUEL: ______________________________

GLORIA: ______________________________

MANUEL: ______________________________

GLORIA: ______________________________

Paso a paso 2

CAPÍTULO 4

Nombre ____________________

Fecha ____________________

Writing Activities

A Write down the name of a sport or activity that you can do with each of the items pictured. Then, unscramble the circled letters to answer the question below. (Remember to add accent marks!)

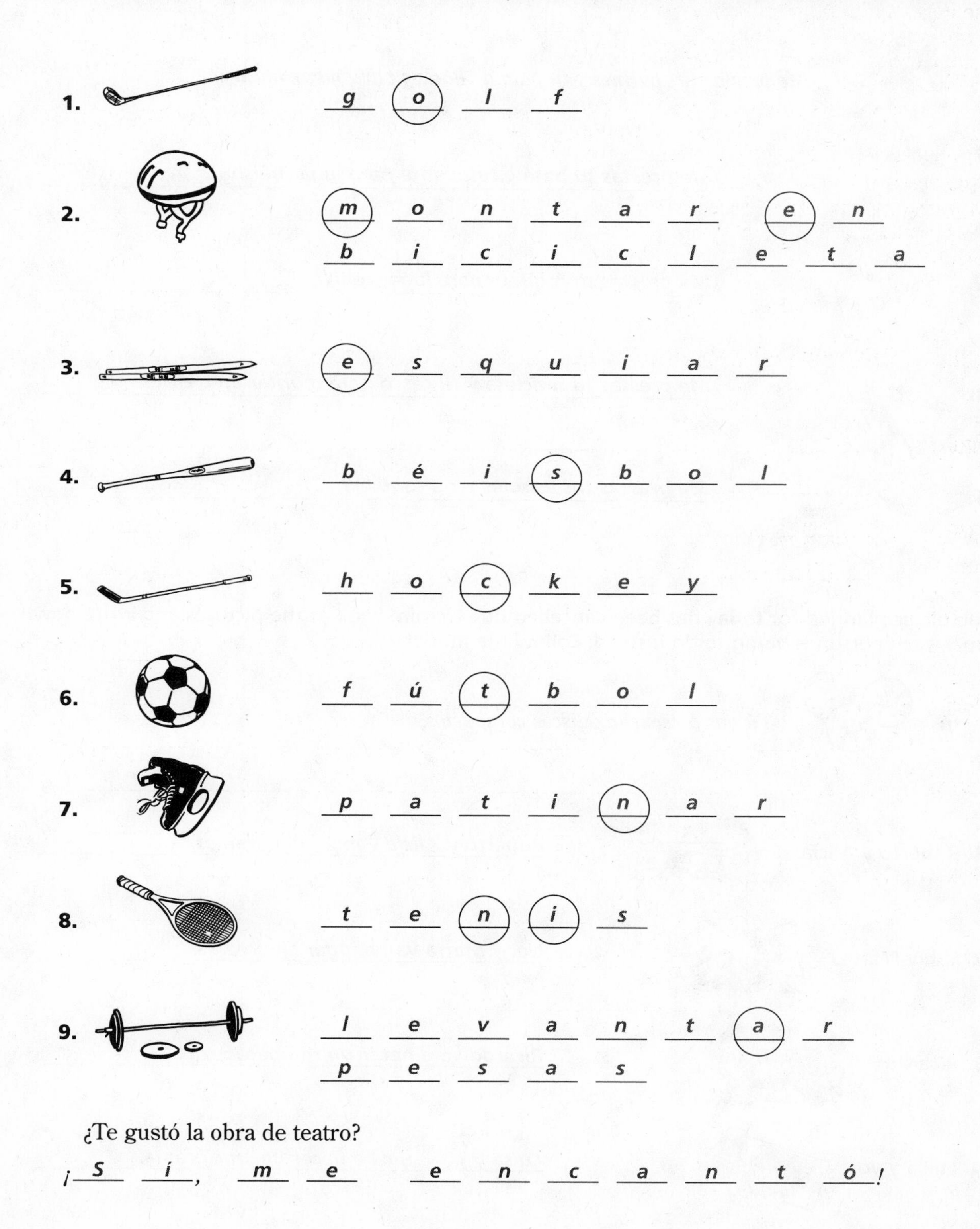

1. g (o) l f
2. (m) o n t a r (e) n b i c i c l e t a
3. (e) s q u i a r
4. b é i (s) b o l
5. h o (c) k e y
6. f ú (t) b o l
7. p a t i (n) a r
8. t e (n) (i) s
9. l e v a n t (a) r p e s a s

¿Te gustó la obra de teatro?

¡S í, m e e n c a n t ó!

Nombre ______

Fecha ______ Writing Activities

B You want to take part in many different activities, but you don't have the necessary equipment. Ask your friend to lend you what you need for each activity pictured. Follow the model.

¿Me prestas tus patines y tu palo de hockey para jugar hockey?

1. *¿Me prestas tu bate y tu guante para jugar béisbol?*
2. *¿Me prestas tu raqueta para jugar tenis?*
3. *¿Me prestas tu bicicleta y tu casco para montar en bicicleta?*
4. *¿Me prestas tus esquíes para esquiar?*

C The picnic planned for today has been cancelled due to rain. Look at the pictures and write down what each person is going to do instead. Follow the model.

tú *Tú vas a escuchar discos compactos.*

1. **Roberto y Alicia** *Roberto y Alicia van a jugar damas.*
2. **Ud. y Marta** *Ud. y Marta van a jugar ajedrez.*
3. **Ricardo** *Ricardo va a hacer un rompecabezas.*
4. **Luisa y yo** *Luisa y yo vamos a hacer un crucigrama.*

Paso a paso 2

CAPÍTULO 4

Nombre ______________________

Fecha ______________________

Writing Activities

D No one can agree on who was last year's tennis champion. Write down each different opinion. Follow the model.

Pilar

Pilar fue la campeona de tenis el año pasado.

1. Antonio *Antonio fue el campeón de tenis el año pasado.*

2. yo *Yo fui el campeón (la campeona) de tenis el año pasado.*

3. Ud. y Tomás *Ud. y Tomás fueron los campeones de tenis el año pasado.*

4. tú *Tú fuiste el campeón (la campeona) de tenis el año pasado.*

5. nosotros *Nosotros fuimos los campeones de tenis el año pasado.*

E How fast did you and some of your friends do a 1000-piece jigsaw puzzle? Follow the model.

Raúl / 2 horas

Raúl lo hizo en dos horas.

1. yo / 3 horas

Yo lo hice en tres horas.

2. tú / 2 horas y media

Tú lo hiciste en dos horas y media.

3. Mireya y Daniel / 1 hora y media

Mireya y Daniel lo hicieron en una hora y media.

4. Ud. / 4 horas

Ud. lo hizo en cuatro horas.

5. nosotros / 6 horas

Nosotros lo hicimos en seis horas.

Nombre ______________________________

Fecha ______________________________

F Hardly anyone showed up for the soccer game. Write down why the following people could not attend. Follow the model.

Marcos / hacer la tarea

Marcos no pudo ir porque tuvo que hacer la tarea.

1. nosotros / lavar la ropa

Nosotros no pudimos ir porque tuvimos que lavar la ropa.

2. tú / cortar el césped

Tú no pudiste ir porque tuviste que cortar el césped.

3. yo / cuidar los niños

Yo no pude ir porque tuve que cuidar los niños.

4. Uds. / ir de compras

Uds. no pudieron ir porque tuvieron que ir de compras.

G Look at the pictures. Then, write down what each of the following people know how to do. Follow the model.

Marta *Marta sabe levantar pesas.*

1. nosotros *Nosotros sabemos patinar sobre hielo.*

2. yo *Yo sé jugar bolos.*

3. tú *Tú sabes montar en bicicleta.*

4. Timoteo y Eduardo *Timoteo y Eduardo saben jugar hockey.*

Paso a paso 2 Nombre ______________________________

CAPÍTULO 4

Fecha ______________________ **Writing Activities**

H Write complete sentences to say what time you woke up, got out of bed, and brushed your teeth yesterday. Follow the model.

Me desperté a las seis ayer.

1. *Statements will vary.*
2. ______________________________
3. ______________________________

I A good friend of your family, Sr. Orozco, needs to advertise his summer camp. He has asked you to write a brochure that could be used to attract campers.

Before you begin writing, list all the different sports and activities that a summer camp should have. Then, list the equipment that's needed for each one.

First, think of a name for the camp *(el campamento)*. Then, start your brochure by saying that there is a camp that children can go to this summer. Use *hay.* Don't forget to say where it is located. Now, list the sports in which the children participated last summer. Use the preterite tense of *poder.* Then, list the equipment the camp provides for those sports. Use *tenemos.* Next, list the other activities, such as costume parties, parades, or picnics, that the children did last summer. Use the preterite tense of *tener* or *hacer.* Finally, tell how the children liked the camp last year. Use the preterite tense of verbs such as *divertirse* or *pasarlo bien.*

Check to make sure that you have spelled the words correctly. Also, check that you have placed accent marks where they are needed. Now, write the brochure.

Content of brochures will vary.

J You're the entertainment critic for your school newspaper. Write a brief review of the concert advertised below. Which night did you go? How much did you pay for your ticket? Could you hear the music well? Did you enjoy the concert or were you bored? Did you buy a compact disc afterwards?

¡Gran concierto de música clásica!

Con la famosa Orquesta Juvenil de las Américas

Viernes, sábado y domingo a las 8:00 P.M.

En el auditorio de la Escuela Benito Juárez

Boletos: $10, $20 y $30

Después del concierto, se van a vender discos compactos de la Orquesta Juvenil de las Américas.

Reviews will vary.

Nombre ______________________________

Fecha ______________________________

A Circle ten adjectives in this puzzle that can be used to describe a child's personality or behavior.

L	D	E	S	O	B	E	D	I	E	N	T	E
O	C	O	N	S	E	N	T	I	D	O	S	T
T	B	P	X	T	M	O	L	E	U	F	I	A
A	D	E	R	O	R	E	A	L	C	O	M	T
F	O	P	D	U	T	A	D	F	A	R	P	R
S	T	I	M	I	D	O	V	C	D	T	A	E
U	E	C	R	N	E	E	R	I	O	R	T	V
O	F	R	I	M	S	N	N	R	E	O	I	I
R	I	D	I	C	A	R	T	T	C	S	C	D
S	E	M	A	O	O	D	U	E	E	D	O	O

Adjectives: consentido, simpático, desobediente, educado, serio, prudente, obediente, atrevido, tímido, travieso

B Write down three toys that you had when you were younger. Follow the model.

Yo tenía un oso de peluche cuando era pequeño(a).

1. *Statements will vary.*
2. ______________________________
3. ______________________________

Now, write down three things you used to do when you were younger. Follow the model.

Yo jugaba con bloques cuando era pequeño(a).

1. *Statements will vary.*
2. ______________________________
3. ______________________________

Nombre ______________________________

Fecha ______________________

C Write three complete sentences to describe what you were like as a child. For each description, write a sentence in which you give an example of your behavior. Follow the model.

De pequeña yo era muy traviesa. Molestaba a mis hermanos todos los días.

1. *Statements will vary.*
____
2. ______________________________
____
3. ______________________________
____

D Look at the pictures. Then, write down what games or sports the following people used to play. Follow the model.

Marta *Marta jugaba tenis.*

1. yo

Yo jugaba béisbol.

2. mi hermano y yo

Mi hermano y yo jugábamos golf.

3. tú

Tú jugabas hockey.

4. Antonio y Tomás

Antonio y Tomás jugaban ajedrez.

5. Ud.

Ud. jugaba bolos.

Nombre

CAPÍTULO 5

Fecha

E Julia can't believe her luck. She's supposed to write an essay about her childhood and she just found some notes she made many years ago. Help her change her notes to the imperfect tense. Follow the model.

sábado / papá y yo vemos la televisión

Generalmente, papá y yo veíamos la televisión los sábados.

1. viernes / mi familia y yo comemos tacos
   Generalmente, mi familia y yo comíamos tacos los viernes.
2. domingo / mi mamá toca el piano
   Generalmente, mi mamá tocaba el piano los domingos.
3. lunes / mis amigas juegan conmigo
   Generalmente, mis amigas jugaban conmigo los lunes.
4. jueves / mis hermanos ven películas en el cine
   Generalmente, mis hermanos veían películas en el cine los jueves.

F Write four sentences which describe what things were on the playground of your elementary school. Follow the model.

Había un tobogán en el patio de recreo.

1. ***Statements will vary.***
2. ___
3. ___
4. ___

G Find out from four of your classmates what they were like when they were younger. Write the information here. Follow the model.

Carmen era muy tímida de pequeña.

1. ***Statements will vary.***
2. ___
3. ___
4. ___

Paso a paso 2 Nombre ______

CAPÍTULO 5

Fecha ______ Writing Activities

H Write complete sentences to say where the following people used to go during their summer vacation. Pictures or words have been provided as clues. Follow the model.

Marcos / montañas

Marcos iba a las montañas.

1. mi familia y yo / playa

   Mi familia y yo íbamos a la playa.

2. tú / campo

   Tú ibas al campo.

3. mis primos / parque de diversiones

   Mis primos iban al parque de diversiones.

4. Sr. Rodríguez / lago

   El señor Rodríguez iba al lago.

5. **mi hermano / / México**

   Mi hermano iba a las pirámides de México

6. **Carlos y Miguel /**

   Carlos y Miguel iban al estadio.

7. **yo / / Brasil**

   Yo iba a explorar la selva tropical en Brasil.

8. **Manuela, Carmen y yo / / Chile**

   Manuela, Carmen y yo íbamos a esquiar en Chile.

Nombre

CAPÍTULO 5

Fecha

1 It's time to put the school yearbook together. The editors are asking students to write a short paragraph about themselves to go with their pictures. They want you to describe what you were like when you started kindergarten, and to compare that to what you are like now. They also want you to name your favorite possession, food, and leisure activity, both now and when you were younger.

Start by describing what you were like when you were in kindergarten. Use the imperfect tense of *ser*. To describe what you are like now, use the present tense of *ser*. Include physical descriptions as well as descriptions of your personality and your behavior. To describe your favorite possession, food, and leisure activity, use *gustar* or *preferir*. Use the present tense to describe the present and the imperfect tense to describe what you used to like.

Proofread your paragraph, checking for correct spelling and accent marks. Also, check to make sure that the adjectives agree with the nouns they describe.

Now, write your paragraph for the yearbook.

Anuario del Colegio ______________________

en el año ____________

Nombre del (de la) estudiante: ______________________

Descriptions will vary.

Nombre ______________________

Fecha ______________________

J *Ayuda a los niños* has sent you a plea in the mail to help a group of children whose town was destroyed by a hurricane. Pick a gift you think each child would like. Write each one a note that describes something about yourself when you were a child. Don't forget to sign your note.

Ayuda a los niños

Estos niños necesitan su ayuda. Gracias a *Ayuda a los niños*, ahora tienen ropa y comida. Pero no tienen ni libros ni juguetes.

Gustavo, que tiene seis años, es un niño encantador. Es un poco travieso, pero es bien educado.

Adela es tan bonita como una muñeca. Tiene cinco años. Es tímida, pero le gusta divertirse.

Enrique es atrevido y deportista. Es el campeón de fútbol del segundo grado. Tiene siete años.

Mariela es simpática y artística. Le encanta escuchar música. Tiene ocho años.

El regalo para Gustavo: ***Statements will vary.***

El regalo para Adela: ______________________

El regalo para Enrique: ______________________

El regalo para Mariela: ______________________

Nombre ______________________

Fecha ______________________

Writing Activities

A The private lives of actors, actresses, and other people in the news are often known to the public. Think of five different famous people and write down whether they are single, married, separated, or divorced. Follow the model.

El presidente está casado.

1. *Statements will vary.*
2. ______________________
3. ______________________
4. ______________________
5. ______________________

B Fill in the following crossword puzzle using the words related to holidays and celebrations that correspond to the pictures or clues found on p. 36.

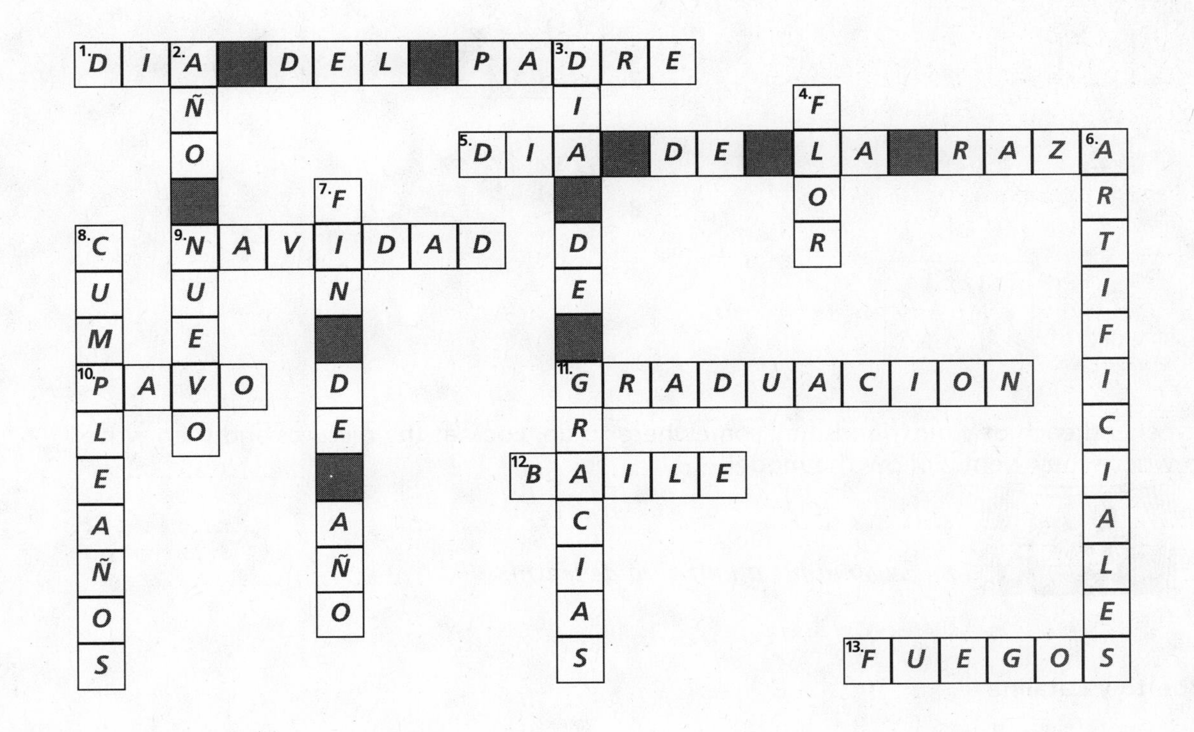

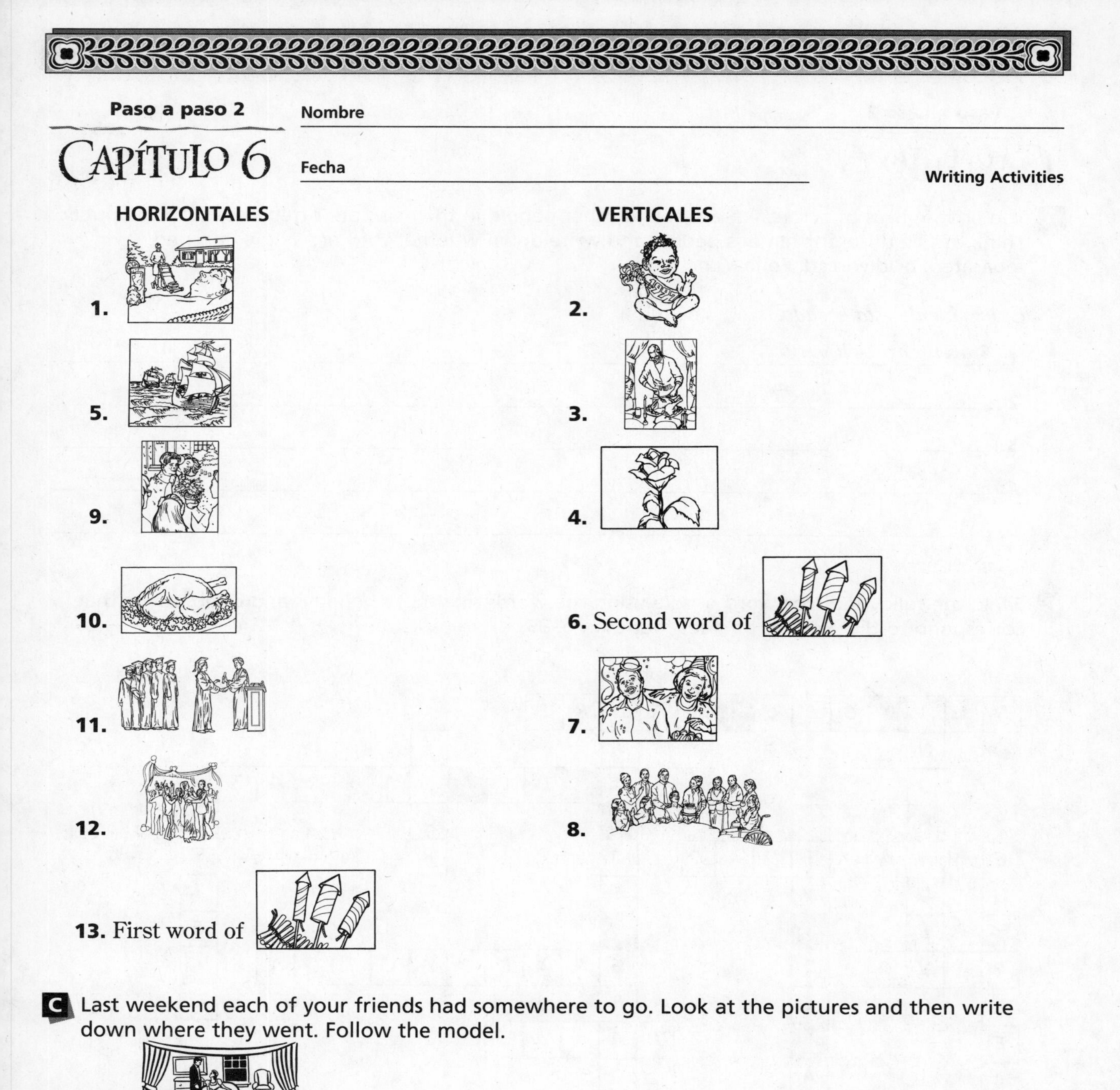

HORIZONTALES

1.

5.

9.

10.

11.

12.

13. First word of

VERTICALES

2.

3.

4.

6. Second word of

7.

8.

C Last weekend each of your friends had somewhere to go. Look at the pictures and then write down where they went. Follow the model.

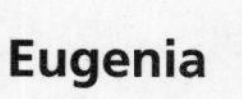

Eugenia *Eugenia fue a una obra de teatro.*

1. **Alberto y Catalina**

Alberto y Catalina fueron a un baile.

2. **Sra. Negrete**

La Sra. (señora) Negrete fue a una graduación.

Nombre

Fecha

3. tú

Tú fuiste a una fiesta de sorpresa.

4. mis sobrinos

Mis sobrinos fueron a una boda.

5. mi cuñada

Mi cuñada fue a una fiesta de cumpleaños.

Now, write down where you went last weekend.

Statements will vary.

D One of the waiters at Natán's Restaurant is in training and he often makes mistakes. Look at the clues. Then, write down what each person ordered and what the waiter served him or her instead. Follow the model.

Alicia: pescado / jamón

Alicia pidió pescado, pero el camarero le sirvió jamón.

1. Carlos: 2 hamburguesas / bistec

Carlos pidió dos hamburguesas, pero el camarero le sirvió bistec.

2. mis hermanos: sopa / ensalada

Mis hermanos pidieron sopa, pero el camarero les sirvió ensalada.

3. yo: sandwich / pollo

Pedí un sandwich, pero el camarero me sirvió pollo.

4. Juanita y yo: helado / pastel

Juanita y yo pedimos helado, pero el camarero nos sirvió pastel.

Nombre ______

Fecha ______

E Think back to the last time you received gifts. What occasion was it? What gifts did you receive? Write four complete sentences which state what things various people gave you. Follow the model.

Mis padres me dieron unos botines por mi cumpleaños.

1. *Sentences will vary.*
2. ______
3. ______
4. ______

F Think about the house or apartment you lived in when you were a child. Was it large or small? What color was it? Did it have a garage, a yard or a balcony? Was it in the country or the city? Write three complete sentences to describe where you used to live. Use the imperfect tense.

1. *Sentences will vary.*
2. ______
3. ______

G You have just arrived at a surprise party. Many of the guests are already there. Look at the pictures and write a description of what you see. Follow the model.

Sr. López y Sr. Ríos — *El señor López y el señor Ríos se dan la mano.*

1. María y Héctor — *María y Héctor se abrazan.*

2. La bisabuela y su nieta — *La bisabuela y su nieta se besan.*

3. Ana y Carolina — *Ana y Carolina se dicen "¡Hola!".*

Finally everyone notices that you have arrived. What do you and the other guests do?

Answers will vary, but may include: Los otros invitados y yo nos saludamos.

Nombre ____________________

Fecha ____________________

H Think about the last time you had a family gathering. Was there a family member who couldn't attend? Write a letter to him or her and describe the celebration.

Start your letter with a greeting. Then, say when the family gathering was held (*tuvimos*) and why (*para celebrar...*). Describe who was there. Use the verb *estar* in the imperfect tense. Describe the place where the gathering was held. Continue using the imperfect tense. Now use the preterite tense for the next several sentences. Say what you ate or drank. Also, say what people did at the party (danced, talked, exchanged presents, blew out candles on a cake, hugged each other). What did people wear to the event? Is there anything else you want to say about the gathering?

Make sure that you've used the correct forms of the verbs in the preterite and the imperfect tenses. Don't forget to check for correct spelling and accent marks.

Now, write your letter.

____________________:

Content of letters will vary.

Nombre ____________________

CAPÍTULO 6

Fecha ____________________

Writing Activities

1 Imagine that you received this invitation and that you went to the party. Answer the following questions.

¡Te invitamos!
Vamos a celebrar el Día de los Enamorados con una fiesta de disfraces. Todos tienen que vestirse de personajes románticos de la historia.
¿Dónde? En la casa de Romeo Ochoa,
Avenida Robles 15234
¿Cuándo? Sábado 14 de febrero,
de las 7 p.m. a las 11 p.m.

¿Fuiste a la fiesta con otra persona? ¿Con quién?

Answers will vary.

¿De quién te vestiste? ¿Por qué?

____

¿A qué hora llegaste? ¿Cuándo saliste?

____

¿Te divertiste? ¿Te aburriste?

____

¿Cómo celebrabas ese día cuando eras pequeño(a)?

____

____

____

Nombre ______

Fecha ______

Writing Activities

A Look around your house and name three things that belong to you. Follow the model.

Tengo mi propio secador de pelo.

1. ***Statements will vary.***
2. ______
3. ______

Now, name three things that you always wear or take with you when you go to school. Follow the model.

Siempre llevo mis lentes de contacto a la escuela.

1. ***Statements will vary.***
2. ______
3. ______

B Unscramble the following words to name items that can be found in a kitchen.

1. pallvataso ***lavaplatos***
2. avdaoalr ***lavadora***
3. dsoortta ***tostador***
4. ofdaerrge ***fregadero***
5. ed xgdoieirntu sencidino ***extinguidor de incendios***
6. hnoor ***horno***
7. cadareso ***secadora***
8. omacirodsn ***microondas***

Si hay una tormenta y la electricidad se apaga, ¿cuáles de esos aparatos van a funcionar?

1. ***el fregadero***
2. ***el extinguidor de incendios***

Nombre ____________________

Fecha ____________________

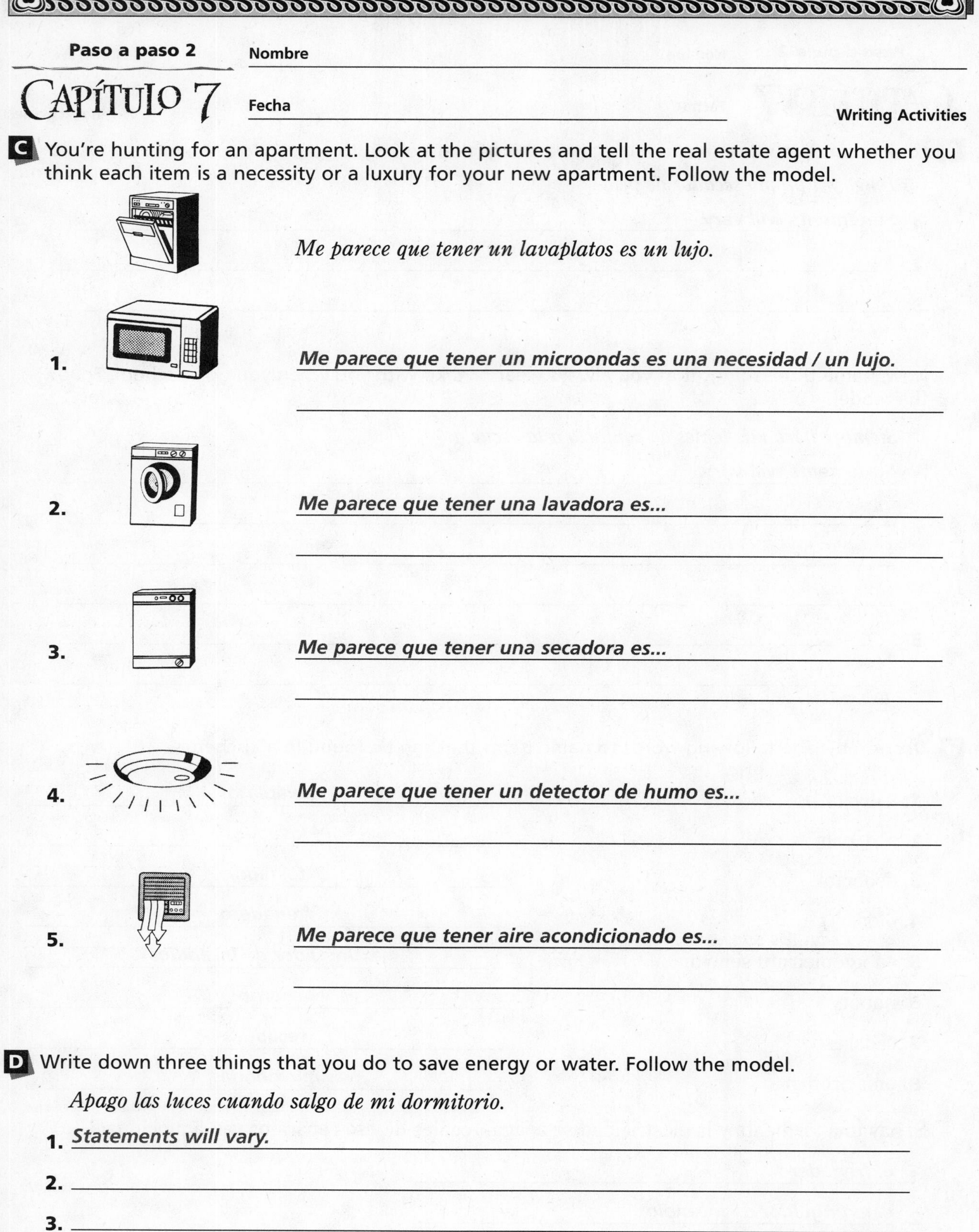

C You're hunting for an apartment. Look at the pictures and tell the real estate agent whether you think each item is a necessity or a luxury for your new apartment. Follow the model.

Me parece que tener un lavaplatos es un lujo.

1. ***Me parece que tener un microondas es una necesidad / un lujo.***
2. ***Me parece que tener una lavadora es...***
3. ***Me parece que tener una secadora es...***
4. ***Me parece que tener un detector de humo es...***
5. ***Me parece que tener aire acondicionado es...***

D Write down three things that you do to save energy or water. Follow the model.

Apago las luces cuando salgo de mi dormitorio.

1. ***Statements will vary.***
2. ____________________
3. ____________________

E You didn't have enough room in your suitcase to pack all of the things that you wanted to take with you on the class field trip. Some of the items fit into your classmate's suitcase. Now it's time to sort out to whom each of the items belongs. Follow the model.

Mis cosas

Las cosas de mi compañero(a)

¿De quién es el llavero?

El llavero es mío.

1. ¿De quién es la pulsera?

   La pulsera es tuya.

2. ¿De quién es el secador de pelo?

   El secador de pelo es tuyo.

3. ¿De quién es el tocacintas?

   El tocacintas es mío.

4. ¿De quién es la cadena?

   La cadena es mía.

5. ¿De quién son los anteojos?

   Los anteojos son tuyos.

Nombre

Capítulo 7

Fecha

F You have decided to compare possessions with your classmates. Finish the comparisons below by following the model.

Mi llavero es de oro. El de Juan es de plata.
El mío es de oro, pero el suyo es de plata.

1. Tus lápices son largos. Los de María son cortos.
   Los tuyos son largos, pero los suyos son cortos.

2. Mi calculadora es vieja. La de María es nueva.
   La mia es vieja, pero la suya es nueva.

3. Tu linterna es grande. La de Juan y la de María son pequeñas.
   La tuya es grande, pero las suyas son pequeñas.

4. Tu anillo es de plata. Mi anillo es de oro.
   El tuyo es de plata, pero el mío es de oro.

5. Las mochilas de Juan son rojas. Nuestras mochilas son azules y blancas.
   Las suyas son rojas, pero las nuestras son azules y blancas.

6. Nuestro tocacintas es amarillo. El de Uds. es negro.
   El nuestro es amarillo, pero el suyo es negro.

7. Mis peines son de metal. Los de Juan y los de María son de plástico.
   Los míos son de metal, pero los suyos son de plástico.

Nombre ______________________________

Fecha ______________________________

G You are on a four-week student exchange program in Madrid, Spain. After three days with your host family, you've noticed a lot of differences. For example, your host mother hangs the clothes on a line to dry instead of using a clothes dryer. Also, in Spain everyone must carry an identity card. Write a letter to your family back in the United States describing some of these differences.

Begin your letter with a greeting. Don't forget to tell your family how you are doing! Then, tell them about your host family's apartment. How many rooms are there? What kind of furniture is in your bedroom? Use *hay....* Talk about some of the things that your host family doesn't have, and mention what they use instead. Use *Tienen... / No tienen....* For instance, they don't have a dishwasher, so they wash the dishes in the sink. Also, you brought some presents with you to give to your host family. Tell your family back home to whom you gave each present and whether or not he or she liked it. For example: *Le di el tocacintas y las pilas a Pepe. ¡Le gustaron mucho!* Finish your letter by telling your family what you are going to do today, and tell them that you are planning to write to them again soon. Use *Voy a....*

Don't forget to check your letter for correct spelling and accent marks.

Now, write your letter.

______________________:

Content of letters will vary.

Paso a paso 2

CAPÍTULO 7

Nombre ______________________

Fecha ______________________

Writing Activities

H You have found an apartment in Madrid. Unfortunately, it doesn't come with all of the items you think are necessary. You also need to purchase a few other things to make your new home complete. You have 75.000 *pesetas* to spend on whatever you need. Look at the flyer from a nearby department store and make a list of what you are going to buy now, what you are going to buy later (when you have more money), and anything else you need to buy that isn't mentioned in the flyer.

Lo que voy a comprar ahora:	Lo que voy a comprar más tarde:	Otras cosas que tengo que comprar:
Items in the list will vary.		

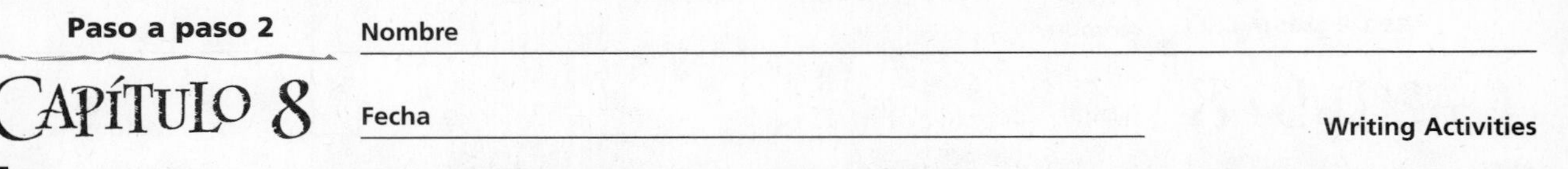

Paso a paso 2 Nombre ______

CAPÍTULO 8

Fecha ______ Writing Activities

A You have spent the morning running errands. As you put your purchases away, write sentences to describe where you bought each item. Follow the model.

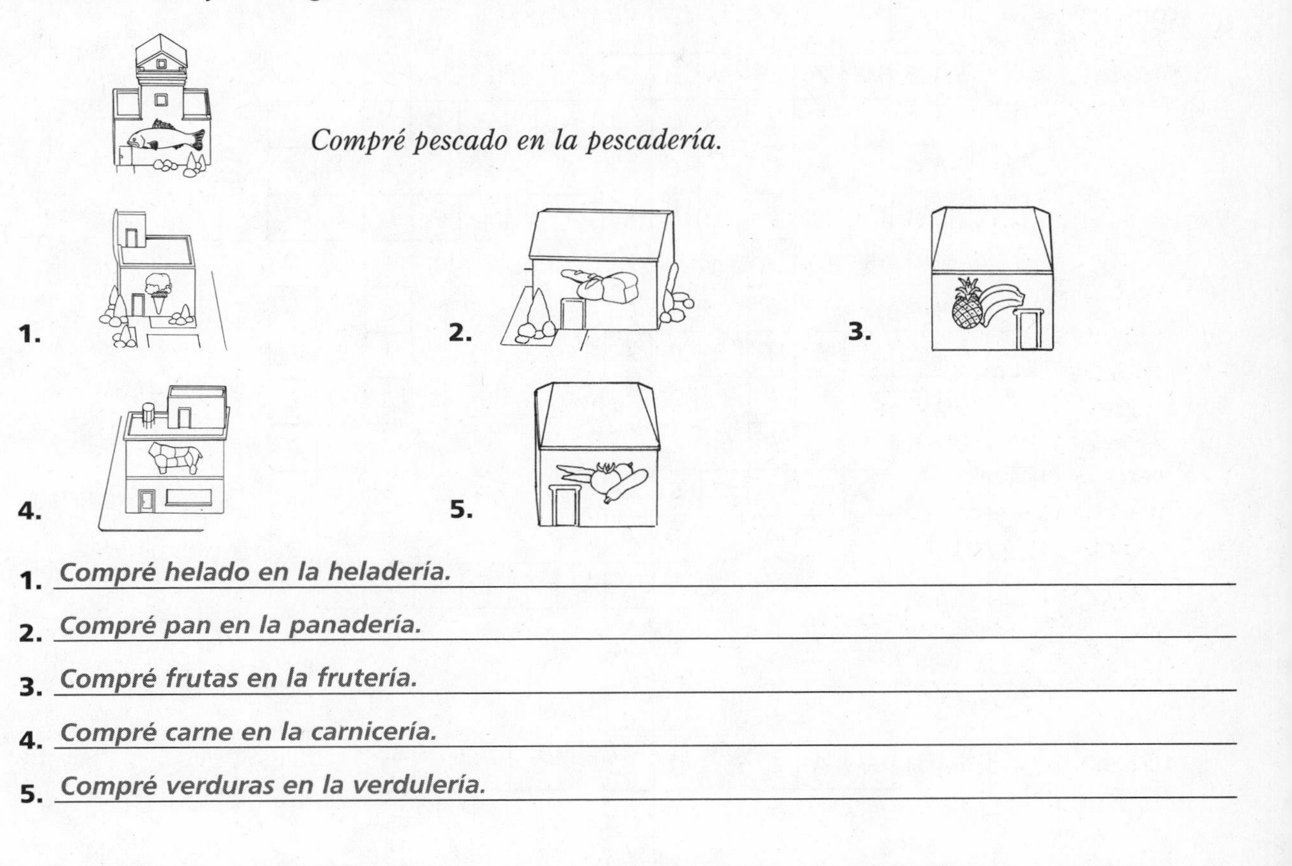

Compré pescado en la pescadería.

1. *Compré helado en la heladería.*
2. *Compré pan en la panadería.*
3. *Compré frutas en la frutería.*
4. *Compré carne en la carnicería.*
5. *Compré verduras en la verdulería.*

B Look at the pictures and write sentences that explain why Ana María needs each of these items. Follow the model.

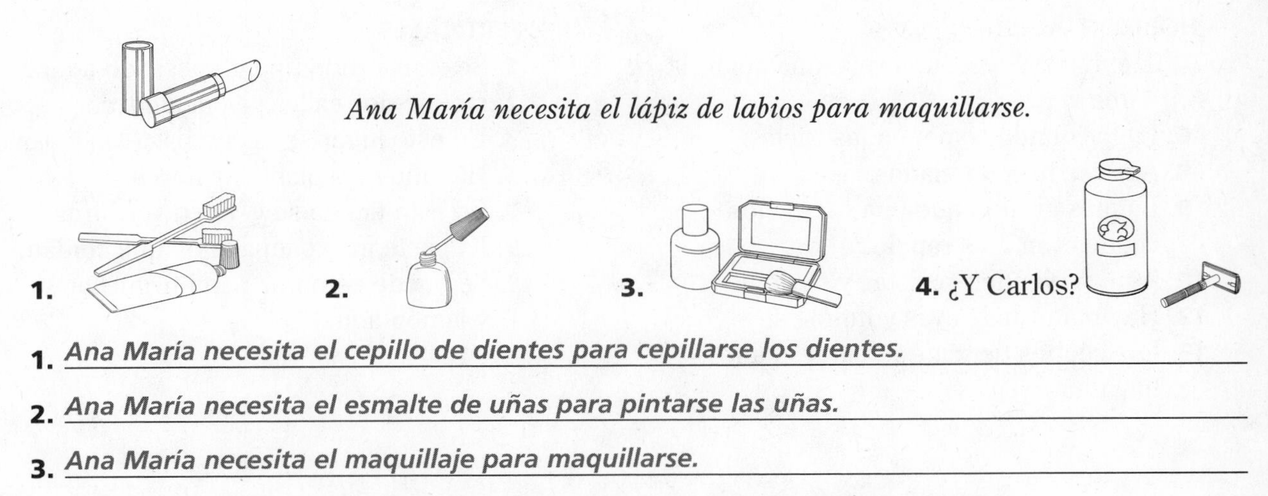

Ana María necesita el lápiz de labios para maquillarse.
1.
2.
3.
4. ¿Y Carlos?

1. *Ana María necesita el cepillo de dientes para cepillarse los dientes.*
2. *Ana María necesita el esmalte de uñas para pintarse las uñas.*
3. *Ana María necesita el maquillaje para maquillarse.*
4. *Carlos necesita la crema (de afeitar) y la máquina de afeitar para afeitarse.*

Nombre

CAPÍTULO 8

Fecha

Writing Activities

C Read the clues. Then, fill in the crossword puzzle with words that describe places in a city.

HORIZONTALES

4. Tiene tres luces: una roja, una amarilla y una verde.
6. Lugar donde se ponen las cartas.
8. Aquí se hacen helados.
9. Es más grande que una calle y los coches van más rápido.
10. Aquí se venden revistas y periódicos.
12. Hay manzanas, uvas y limones.
13. Los coches tienen que parar cuando hay una.

VERTICALES

1. Se vende todo tipo de pescado aquí.
2. Donde dos calles se encuentran.
3. En este lugar se hacen pasteles y pan.
5. Hay muchas plantas y flores.
7. En esta tienda se venden verduras.
9. La parte más ocupada de una ciudad.
11. Se puede comprar hamburguesas y jamón aquí.

Nombre ______

CAPÍTULO 8

Fecha ______

D Find out from three of your classmates how they are feeling today (for example: happy, sad, tired, sick) and write down what they say. Finally, say how you're feeling today. Follow the model.

Marta está de mal humor hoy.

1. ***Statements will vary.***
2. ______
3. ______
4. Yo ______

E You're having a party and everyone is getting ready. Look around you and describe what people are doing. Follow the model.

Ricardo / quitarse la ropa

Ricardo está quitándose (se está quitando) la ropa.

1. mi madre / vestirse
   Mi madre está vistiéndose / se está vistiendo.
2. Carlos / afeitarse
   Carlos está afeitándose / se está afeitando.
3. tú y yo / hablarse
   Tú y yo estamos hablándonos / nos estamos hablando.
4. mis hermanos menores / dormirse
   Mis hermanos menores están durmiéndose / se están durmiendo.
5. Alicia y Carolina / maquillarse
   Alicia y Carolina están maquillándose / se están maquillando.

Nombre ______________________

CAPÍTULO 8

Fecha ______________________

F Jorge and Javier are twins, but they're not very much alike. In fact, Jorge always does and says the opposite of Javier. Read each of Javier's statements, and then write down what Jorge would say. Follow the model.

JAVIER Siempre me afeito por la mañana.
JORGE *Nunca me afeito por la mañana.*

JAVIER

1. Alguien me ayuda con la tarea.
2. Compré algo para mis amigos.
3. También compré un regalo para mi abuelo.
4. Siempre compro frutas en la frutería.

JORGE

1. *Nadie me ayuda con la tarea. (No me ayuda nadie con la tarea.)*
2. *No compré nada para mis amigos.*
3. *Tampoco compré un regalo para mi abuelo. (No compré un regalo para mi abuelo tampoco.)*
4. *Nunca compro frutas en la frutería. (No compro nunca frutas en la frutería.)*

G Some practical jokers broke into the department store and took down all of the signs. Use your imagination to write a new sign for each place or department. Follow the model.

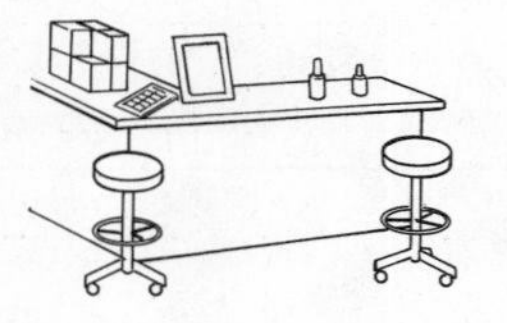

Aquí se guardan los perfumes.

1.  **2.** 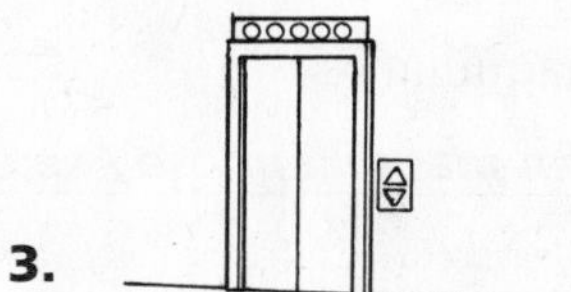 **3.** **4.** 

***Answers will vary, but should reflect correct usage of the impersonal* se.**
Some possible answers are given here.

1. *Aquí se pagan las compras.*
2. *Se vende ropa para niños aquí.*
3. *Aquí se sube (se baja) a los otros pisos.*
4. *Se vende ropa para damas aquí.*

Nombre ______________________

Fecha ______________________

H Sr. González, an old classmate of your father's from Paraguay, is coming to stay with your family. You will be his guide, but you can't be with him at all times. You need to write down some information for him so that he'll be able to get around on his own.

First, write directions for how to get from your city's downtown area to your house. Start by stating the distance between the two places. Use *Mi casa está a....* For your directions, use commands such as *siga* or *doble,* and include landmarks such as stores, stop signs, or traffic lights.

Next, it would be helpful to tell him where he can buy some things that he may need. Tell him what stores there are (*hay*), where each one is located *(está),* and what items one can buy there *(se puede comprar).*

Check your directions carefully—you don't want him to get lost! Don't forget to check for correct spelling and accent marks.

Now, write the information your guest needs.

Directions will vary.

Nombre

CAPÍTULO 8

Fecha

Writing Activities

1 Your family is thinking of buying a home in a new subdivision on the outskirts of Madrid. You'd like some of your friends to see the model home with you so that you can get their opinions. Look at the map the realtor gave you and write directions for your friends to get to "Casas El Paraíso." Some of them live near the Plaza de Castilla, and others live near the Puerta de Moncloa.

Cómo llegar desde la Puerta de Moncloa:

Directions will vary.

Cómo llegar desde la Plaza de Castilla:

Directions will vary.

Nombre ____________________

Fecha ____________________

A Ask four classmates when they last hurt themselves. What happened? *(¿Cuándo fue la última vez que te lastimaste? ¿Qué te pasó?)* Write down the information here. Then, include a sentence about yourself. Follow the model.

Rosa se cortó la rodilla la semana pasada.

1. *Statements will vary.*
2. ____________________
3. ____________________
4. Yo ____________________

B Now, find out from four classmates if they are allergic to anything. Write down what each one is allergic to and what he or she has to do about it. Follow the model.

Juan es alérgico a los mariscos. Tiene que ponerse una inyección cada semana.

1. *Statements will vary.*
2. ____________________
3. ____________________
4. ____________________

C Search the puzzle for eleven different remedies for various medical problems or accidents. Circle each word once you find it. The words may be horizontal, vertical, or at an angle.

N	C	A	L	A	M	I	N	A	P	Q	U	C	R
A	O	M	E	D	I	C	I	N	A	M	R	E	E
N	L	O	I	L	N	G	O	T	S	Ñ	I	B	C
T	E	P	A	Y	Y	V	U	Y	T	U	C	X	E
I	B	E	D	Y	E	T	Q	E	I	H	T	C	T
B	E	R	C	P	C	S	A	S	L	I	M	T	A
I	S	A	I	L	C	V	O	R	L	B	E	I	R
O	O	C	B	G	I	I	Ñ	J	A	R	A	B	E
T	A	I	A	M	O	T	Y	U	N	A	N	I	E
I	R	O	P	U	N	T	A	D	A	S	M	Q	T
C	M	N	B	T	O	N	A	D	J	V	S	I	J
O	B	O	N	R	R	E	B	S	O	R	O	I	O

Answers: medicina, jarabe, pastilla, antibiótico, calamina, gotas, inyección, puntadas, yeso, receta, operación

Paso a paso 2 Nombre ______________________

CAPÍTULO 9

Fecha ______________________ **Writing Activities**

D You arrived very late at the party. When you walked in, everyone was already busy doing something. Look at the pictures and write down what each person was doing. Follow the model.

Tomás

Tomás estaba encendiendo una vela.

1. tú

Estabas despidiéndote.

2. Martín y Ana

Martín y Ana estaban bailando.

3. Carmen

Carmen estaba tosiendo.

4. Joaquín y Gertrudis

Joaquín y Gertrudis estaban jugando damas.

Nombre ______

Fecha ______

E Each of the following people was in an accident and broke a bone. Look at the pictures and write down what they were doing when they hurt themselves. Follow the model.

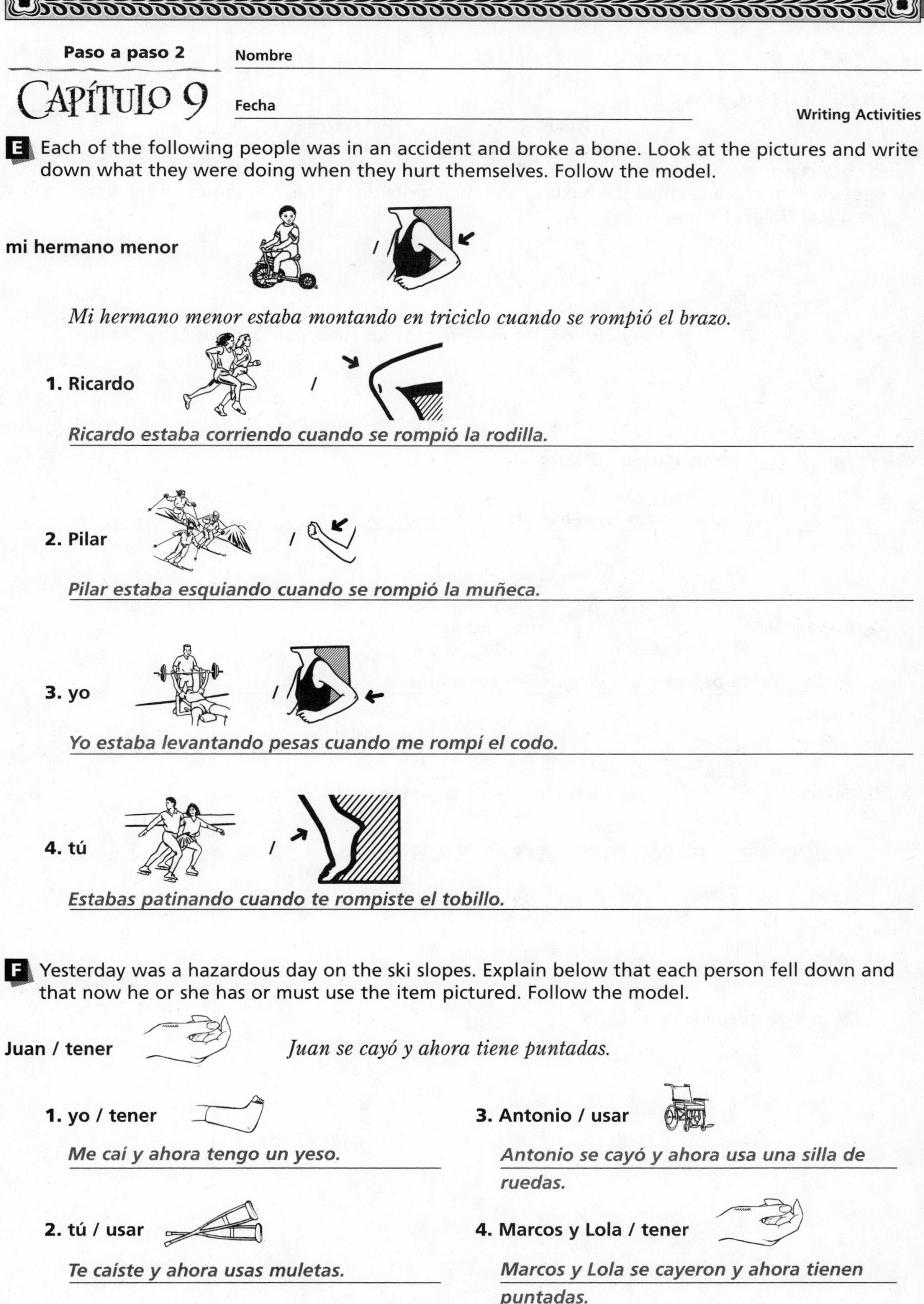

mi hermano menor /

Mi hermano menor estaba montando en triciclo cuando se rompió el brazo.

1. Ricardo /

Ricardo estaba corriendo cuando se rompió la rodilla.

2. Pilar /

Pilar estaba esquiando cuando se rompió la muñeca.

3. yo /

Yo estaba levantando pesas cuando me rompí el codo.

4. tú /

Estabas patinando cuando te rompiste el tobillo.

F Yesterday was a hazardous day on the ski slopes. Explain below that each person fell down and that now he or she has or must use the item pictured. Follow the model.

Juan / tener *Juan se cayó y ahora tiene puntadas.*

1. yo / tener

Me caí y ahora tengo un yeso.

2. tú / usar

Te caíste y ahora usas muletas.

3. Antonio / usar

Antonio se cayó y ahora usa una silla de ruedas.

4. Marcos y Lola / tener

Marcos y Lola se cayeron y ahora tienen puntadas.

G You were supposed to be in charge of the first-aid kit during the field trip. Unfortunately, none of your classmates was aware of this so they have misplaced all of the supplies. You need to find out where they are. Look at the pictures and then write down their responses on the lines provided. Follow the model.

Roberto / **su bolsillo** *Roberto puso las gotas para los ojos en su bolsillo.*

1. yo / **bolsillo de mis jeans**

Puse el jarabe para la tos en el bolsillo de mis jeans.

2. Jorge y Sarita / **sus mochilas**

Jorge y Sarita pusieron el repelente en sus mochilas.

3. Beatriz / **bolsillo de su chaquetón**

Beatriz puso las pastillas en el bolsillo de su chaquetón.

4. tú / **coche**

Pusiste la calamina en el coche.

Nombre ______________________________

Fecha ______________________

H You're a reporter for the school newspaper. Recently, you witnessed an accident that involved a student at school. Now you need to write a report on the incident for the next edition of the paper.

First, you need a headline that will grab the readers' attention. Next, begin your article by telling what happened, when, and where. Use the preterite tense. Explain what the student was doing (for example: *estaba jugando*) when he or she had the accident. Then, explain what happened right after the accident. Did someone call an ambulance? Did the victim go to the emergency room? What did the doctor do? Use the preterite tense here also. Finish your article by explaining where the student is now (in the hospital, at home) and how he or she is feeling (for example: *se siente muy mal)*. Use the present tense. Does the patient have a cast or stitches? When is he or she going to return to school? Include any other information that you think would be of interest to your readers.

Check your verb tenses. Did you use the preterite, the imperfect progressive, and the present correctly? Also, don't forget to check your article for spelling and accent marks.

Now, write your report.

Reports will vary.

Nombre ______________________

Fecha ______________________

1 Andrés and Cristina are camping in the mountains. They've taken this ad with them. List the insects they might find there, and then, explain what they should do to avoid insect bites. Next, tell what they should do if an insect does bite them. Finally, describe your last encounter with the insect world.

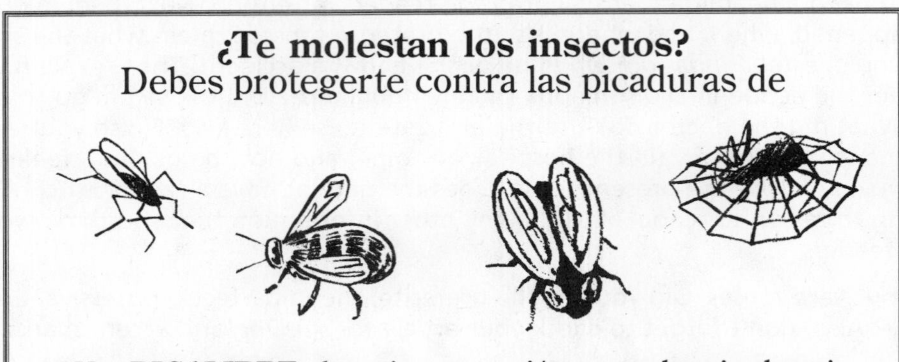

¿Te molestan los insectos?
Debes protegerte contra las picaduras de
Usa **PICALIBRE**, ¡la mejor protección contra las picaduras!

Los insectos:

Insects will vary.

Para protegerse contra las picaduras de insectos, deben:

Statements will vary.

Si los insectos les pican, deben:

Statements will vary.

¿Dónde estabas tú cuando te picó un insecto? ¿Qué insecto te picó? ¿Qué hiciste?

Statements will vary.

Nombre ______

Fecha ______

A Think about four different movies or television programs that you've seen recently. Tell what types of characters appear in them. Follow the model.

Hay un extraterrestre en E.T.

1. *Statements will vary.*
2. ______
3. ______
4. ______

B You're the anchor person for a news program. Look at the information and explain where each natural disaster occurred and what it destroyed. Follow the model.

California / muchas casas

Hubo un derrumbe en California que destruyó muchas casas.

1.  **Colombia / muchas carreteras**
   Hubo un terremoto en Colombia que destruyó muchas carreteras.
2.  **las Islas Filipinas / varios pueblos**
   Hubo una inundación en las Islas Filipinas que destruyó varios pueblos.
3.  **Costa Rica / una ciudad grande**
   Hubo una erupción en Costa Rica que destruyó una ciudad grande.
4.  **Florida / casas y tiendas**
   Hubo un huracán en Florida que destruyó casas y tiendas.
5.  **Puerto Rico / hotel**
   Hubo una tormenta en Puerto Rico que destruyó un hotel.

Nombre ______________________________

CAPÍTULO 10

Fecha ______________________________

C Fill in the crossword puzzle with words related to television programs and movies. Use the pictures and clues below.

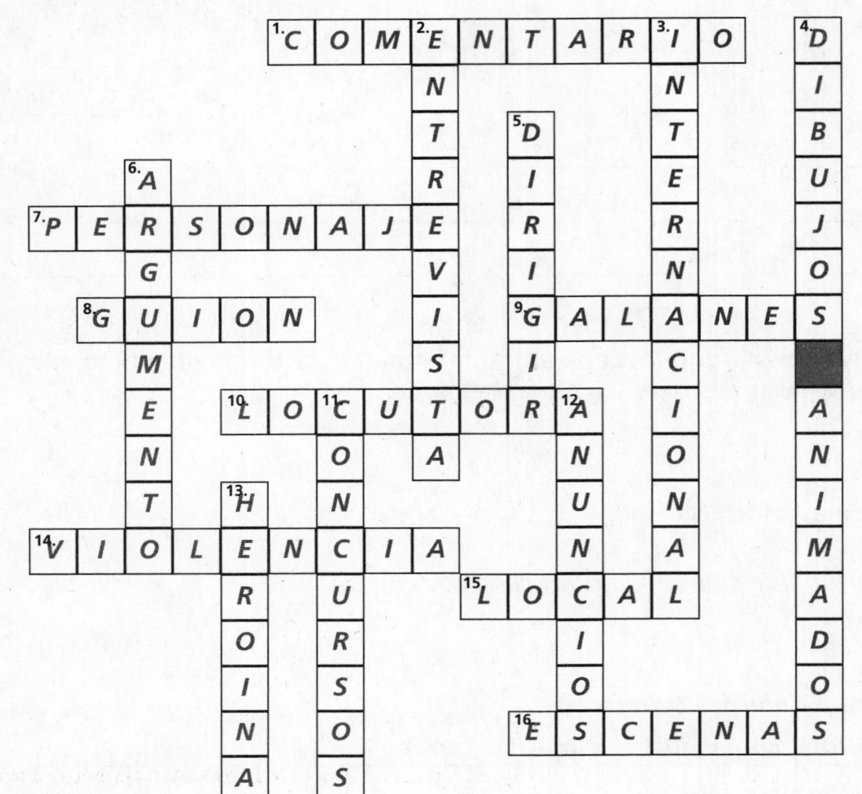

HORIZONTALES

1. Te ayuda a saber cuáles son las películas buenas y malas.
7. Una persona ficticia en una película o un programa de televisión.
8. Lo que los actores aprenden de memoria.
9. 
10.
14. Cuando muchas personas se matan o se lastiman en una película, hay mucha...
15. No es internacional ni nacional; es...
16. Hay muchas...en una película o en un programa.

VERTICALES

2. Cuando una persona le hace preguntas a otra persona.
3. Adjetivo para describir algo que tiene que ver con todos los países del mundo.
4. Son cómicos y les gustan a los niños.
5. El director tiene que...a los actores.
6. Lo que pasa en una película, un programa dramático o una novela.
11. Un programa de 
12. 

13. 

Paso a paso 2 **Nombre** ______________________

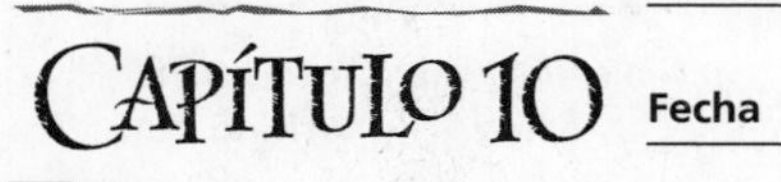

Fecha ______________________ **Writing Activities**

D Look at the picture of each activity and then write down at what time you last did it. Follow the model.

Eran las seis de la mañana cuando me desperté.

1. 

Statements will vary, but should end with **me vestí.**

2. 

Statements will vary, but should end with **me cepillé el pelo.**

3. 

Statements will vary, but should end with **me acosté.**

E Describe what the weather was like yesterday, last weekend, and during your last vacation. Follow the model.

Ayer hacía fresco y hacía mucho viento.

1. ***Ayer... Statements will vary.***
2. ***El fin de semana pasado...***
3. ***En mis últimas vacaciones...***

 Nombre

CAPÍTULO 10

Fecha

F In order to be believable, the actions of the characters in a movie must reflect emotions, as well as mental and physical states. Describe what the following characters did because of how they were feeling. Follow the model.

/ montar a caballo / estar contenta

La vaquera montó a caballo porque estaba contenta.

1.  **/ correr / tener miedo**

Las víctimas corrieron porque tenían miedo.

2.  **/ bailar / sentirse alegre**

La científica bailó porque se sentía alegre.

3. 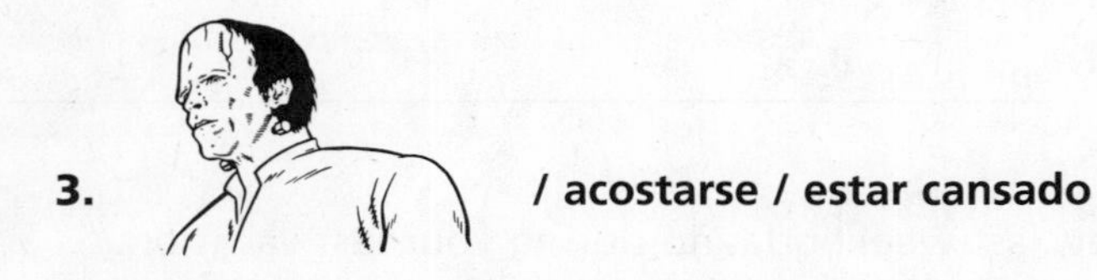 **/ acostarse / estar cansado**

El monstruo se acostó porque estaba cansado.

4. 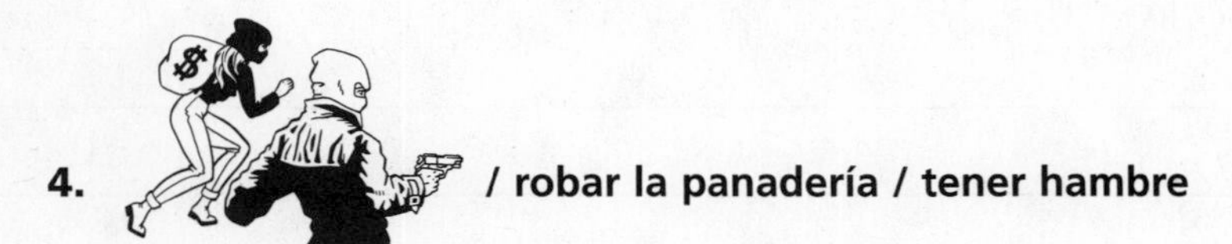 **/ robar la panadería / tener hambre**

Los ladrones robaron la panadería porque tenían hambre.

Nombre ______________________

Fecha ______________________

G Imagine that there was a fire at your school at 12:05 P.M. What was each person doing when the fire broke out? Follow the model.

Andrés / escribir un informe

Andrés estaba escribiendo un informe cuando ocurrió el incendio.

1. Marta y yo / almorzar

Marta y yo estábamos almorzando cuando ocurrió el incendio.

2. Daniela y Juanita / abrir sus armarios

Daniela y Juanita estaban abriendo sus armarios cuando ocurrió el incendio.

3. Benito / comer un sandwich

Benito estaba comiendo un sandwich cuando ocurrió el incendio.

4. tú / peinarte

Tú estabas peinándote cuando ocurrió el incendio.

H You're the secretary of the student council, but you didn't take notes during the last meeting. Write down what each person probably said about the proposal to increase the amount of homework at your school. Follow the model.

Leonor

Leonor dijo que era una mala idea.

1. el director de la escuela

El director de la escuela dijo que era... Statements will vary.

2. los profesores

Los profesores dijeron que era...

3. los otros estudiantes y yo

Los otros estudiantes y yo dijimos que era...

4. tú

Tú dijiste que era...

Nombre ______________________________

Fecha ______________________ Writing Activities

I You are the film critic for your school newspaper. Your assignment is to write a review of a movie that you've recently seen.

Start your review by stating its name and what type of movie it is. Tell who directed it and who acted in it. Use the preterite forms of *dirigir* and *actuar.* Also, tell what role each actor played. (For example: *Laura Rodríguez hizo el papel de la heroína.*) Explain some of the highlights of the plot. Don't forget to use the preterite and the imperfect tenses. Give your opinion of the movie. Was it violent? sensational? excellent? How were the special effects? Include other peoples' opinions, too. For example: *Alicia García dijo que era....*

Don't forget to check your review for correct spelling and accent marks. Also, check to make sure that you've used the preterite and the imperfect tenses correctly. Now, write your review.

Reviews will vary.

____

____

____

____

____

J Isabel and Héctor are looking over the listings of a local movie theater. As usual, their tastes in movies differ. Write their conversation as they decide which movie to see.

CINEPLEX 6

Los vampiros jóvenes Lupe Amargo y Sergio Rojas 1:15, 3:15, 6:15, 8:15, 10:15
Amor en las islas Guillermo Estrella y Delfina de la Fuente 2:00, 4:00, 6:00, 8:00, 10:00
El oeste peligroso Flor Cuballos y Armando Bandid 1:30, 3:30, 5:30, 7:30, 9:30
¡Asesinato en la noche! Lourdes Búsqueda y Carlos Contreras 1:45, 3:45, 6:45, 9:45
Invasión de los extraterrestres Isabel Verde y Xavier Morado 2:10, 5:10, 8:10, 10:10
La cueva de ladrones Beto Robes y Chús Honor 1:00, 3:00, 5:00, 7:00, 9:00

ISABEL: ***Conversations will vary.***

HÉCTOR: ______________________________

ISABEL: ______________________________

HÉCTOR: ______________________________

ISABEL: ______________________________

HÉCTOR: ______________________________

Which one would you like to see? Why?

Me gustaría ver ***Statements will vary.***

porque ______________________________ .

Paso a paso 2 Nombre ____________________

CAPÍTULO 11

Fecha ____________________ **Writing Activities**

A Unscramble the letters below to name a series of professions. Then, unscramble the circled letters from each profession to complete the sentence at the end.

1. gaaabdo *a b o (g) a (d) a*
2. piílcoot *p o (l) í t i c o*
3. rrboeo *o b r e r o*
4. tnciacé *t é c n (i) c (a)*
5. rpiotn *p i (n) t o r*
6. oeaeirtrcs *s e c r e t (a) r i o*
7. bniriaaal *b a i l (a) r i n a*
8. teeviniaror *(v) e t e r i n a r i o*
9. astpreodti *d (e) p o (r) t i s t (a)*
10. súmcoi *m ú (s) i c o*

Las personas que se dedican a estas profesiones tienen algo en común porque todos tienen que *g a n a r s e l a v i d a*.

B Think about the things you like and about what you enjoy doing now. How might these relate to what you want to be in the future? Write down your ideas on this question. Also, write the same information about three of your classmates. Follow the model.

A Anita le gustan mucho los animales. Quiere ser veterinaria.

1. ***Statements will vary.***
2. ____________________
3. ____________________
4. ____________________

Nombre

CAPÍTULO 11

Fecha

Writing Activities

C What will the world be like in thirty years? Write four complete sentences about what the houses, the environment, and the world in general will be like in the future. Follow the model.

Habrá una ciudad en la Luna.

1. ***Statements will vary.***
2.
3.
4.

D You are organizing a career fair, and you're reporting to the committee on the presentations that the representatives of various occupations will be giving. Look at the pictures and write down what each person will do. Follow the model.

/ clásica *El músico tocará música clásica.*

1. / tango ***Los bailarines bailarán un tango.***
2. / un artículo ***La escritora escribirá un artículo.***
3. / un coche ***Los mecánicos repararán un coche.***
4. / un cuadro ***El pintor pintará un cuadro.***
5. / canciones ***Las cantantes cantarán canciones.***

Nombre ______

Fecha ______

E You and your friends are trying to figure out what you can do during the upcoming vacation, but each of you realizes that you have certain things you need to do before you can have fun. Describe what each person will be able to do, and what he or she will have to do first. Follow the model.

Mónica / montar en bicicleta / cocinar

Mónica podrá montar en bicicleta, pero primero tendrá que cocinar.

1. Luisito y su hermano / nadar / lavar el coche
   Luisito y su hermano podrán nadar, pero primero tendrán que lavar el coche.
2. mi amiga y yo / jugar tenis / cuidar los niños
   Mi amiga y yo podremos jugar tenis, pero primero tendremos que cuidar los niños.
3. tú / ver la tele / hacer las compras
   Tú podrás ver la tele, pero primero tendrás que hacer las compras.
4. yo / leer una novela / limpiar el baño
   Yo podré leer una novela, pero primero tendré que limpiar el baño.

F Everyone has a special place where he or she can think quietly. Where will each of the following people do their homework? Follow the model.

Francisco / dormitorio

Francisco hará la tarea en su dormitorio.

1. yo / cocina
   Yo haré la tarea en la cocina.
2. tú / biblioteca
   Tú harás la tarea en la biblioteca.
3. Margarita / sala
   Margarita hará la tarea en la sala.
4. Iris y Lucía / sótano
   Iris y Lucía harán la tarea en el sótano.
5. nosotros / comedor
   Nosotros haremos la tarea en el comedor.

Paso a paso 2 Nombre ______________________

CAPÍTULO 11

Fecha ______________________ **Writing Activities**

G The holidays are coming up, and you don't have a lot of money to buy gifts for everyone this year. Instead, you decide that you will give your friends and family members coupons telling them something that you will do for them at some point in the future. The format of each coupon will be the same, but the name of the recipient and what task you will do for him or her will change according to the person.

First, design the format for each coupon *(cupón).* You should think up a title to write across the top so that the recipient understands what it is right from the beginning. You might want to include a line to tell for whom the coupon is intended, as well as who is giving it. In the middle, leave a space to write exactly what task you will do for each person. (For example: *Lavaré tu coche tres veces y también pasaré la aspiradora dentro de tu coche.)* Don't forget to say when you will do it. *(Lo haré el primer sábado de los próximos tres meses.)*

First, write out what you will do and when you will do it for five people. Follow the model.

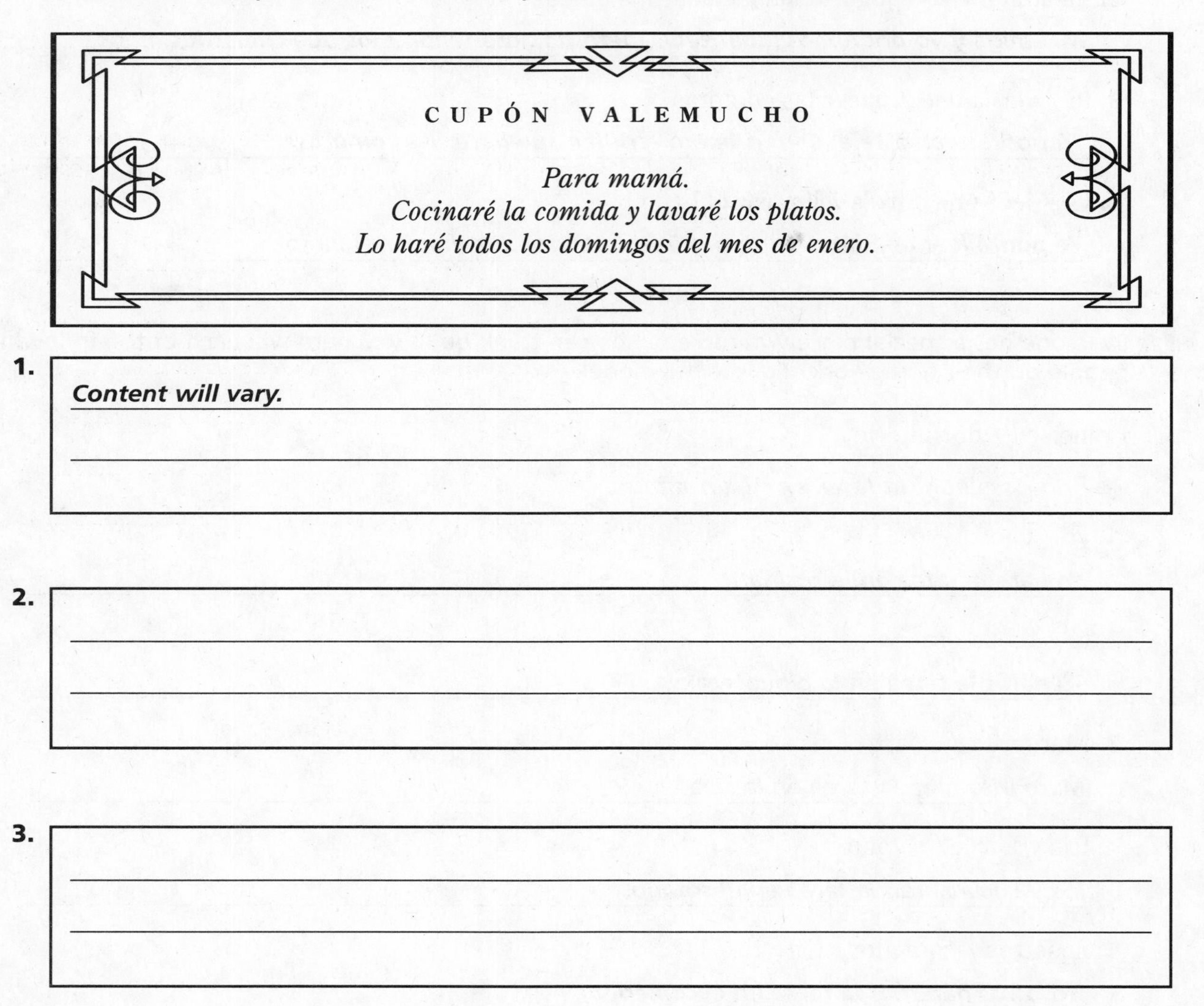

CUPÓN VALEMUCHO
Para mamá.
Cocinaré la comida y lavaré los platos.
Lo haré todos los domingos del mes de enero.

1. ***Content will vary.***

2. ______________________

3. ______________________

Nombre

Fecha

4.

5.

Check your work carefully for correct spelling and accents (especially in the future tense verb endings). Now, write your first draft of one of your coupons on the lines below. Then, design it and add the final revised text in the blank space.

Content will vary.

Nombre ______

Fecha ______

H Read the two "help wanted" ads below. In your opinion, what are the advantages and disadvantages of each job? List them below.

Primer anuncio:

SE BUSCA ENFERMERO(A) para un hospital nuevo en la ciudad. Experiencia en tecnología avanzada preferible. Horario flexible. Sueldo según la experiencia. Llame inmediatamente al 85-53-63.

Segundo anuncio:

ENFERMERO(A). Hospital pequeño y familiar en las afueras. Horario nocturno (de las 11 de la noche a las 7 de la mañana, 3 días a la semana). ¡Sueldo extraordinario! Mande su *curriculum vitae* al Apartado Postal 639 28020, Madrid.

Primer anuncio:

Ventajas:

Answers will vary.

Desventajas:

Segundo anuncio:

Ventajas:

Desventajas:

¿Cuál te gustaría más? ¿Por qué?

Me gustaría más el (primer / segundo) trabajo, porque ***Answers will vary.***

Paso a paso 2 Nombre ____________________

CAPÍTULO 12

Fecha ____________________ **Writing Activities**

A Search the puzzle for words related to a plane trip. You should be able to circle 14 words across, down, or diagonally. These are the clues in English.

aisle	to land	stopover
airport	boarding gate	pilot
seatbelt	to fasten	customs agent (f.)
window	airplane	flight
airline	to take off	

A	Z	A	C	I	N	T	U	R	O	N	L	A	C	S	R
V	A	N	T	Q	U	B	O	P	T	P	I	L	O	T	O
A	E	A	D	E	S	P	E	G	A	R	C	I	O	A	M
S	R	E	T	I	R	E	S	C	A	L	A	N	Ñ	D	Q
A	O	M	V	E	N	R	A	N	V	I	L	E	V	U	U
R	P	V	A	P	A	S	I	L	L	O	J	A	M	A	O
U	U	P	U	E	R	T	A	Z	A	C	S	A	T	N	S
S	E	I	N	E	B	E	A	Ñ	A	P	U	E	D	E	C
J	R	E	A	L	L	O	F	A	B	R	E	R	N	R	A
C	T	E	A	Q	Z	O	A	L	M	T	I	E	N	A	I
H	O	O	V	E	N	T	A	N	I	L	L	A	A	N	C
R	E	N	I	S	A	M	Ñ	A	T	J	R	E	M	O	H
A	B	R	O	C	H	A	R	S	E	S	R	U	T	S	A
J	E	H	N	A	I	S	L	P	O	N	T	E	B	I	L

Paso a paso 2 Nombre ____________________

CAPÍTULO 12

Fecha ____________________ **Writing Activities**

B Look at the pictures below and write down one thing that each person typically does. Follow the model.

La empleada de la línea aérea le da la tarjeta de embarque al pasajero.

1. ***Statements will vary.***

2. ____________________

3. ____________________

4. ____________________

5. ____________________

Nombre

Fecha

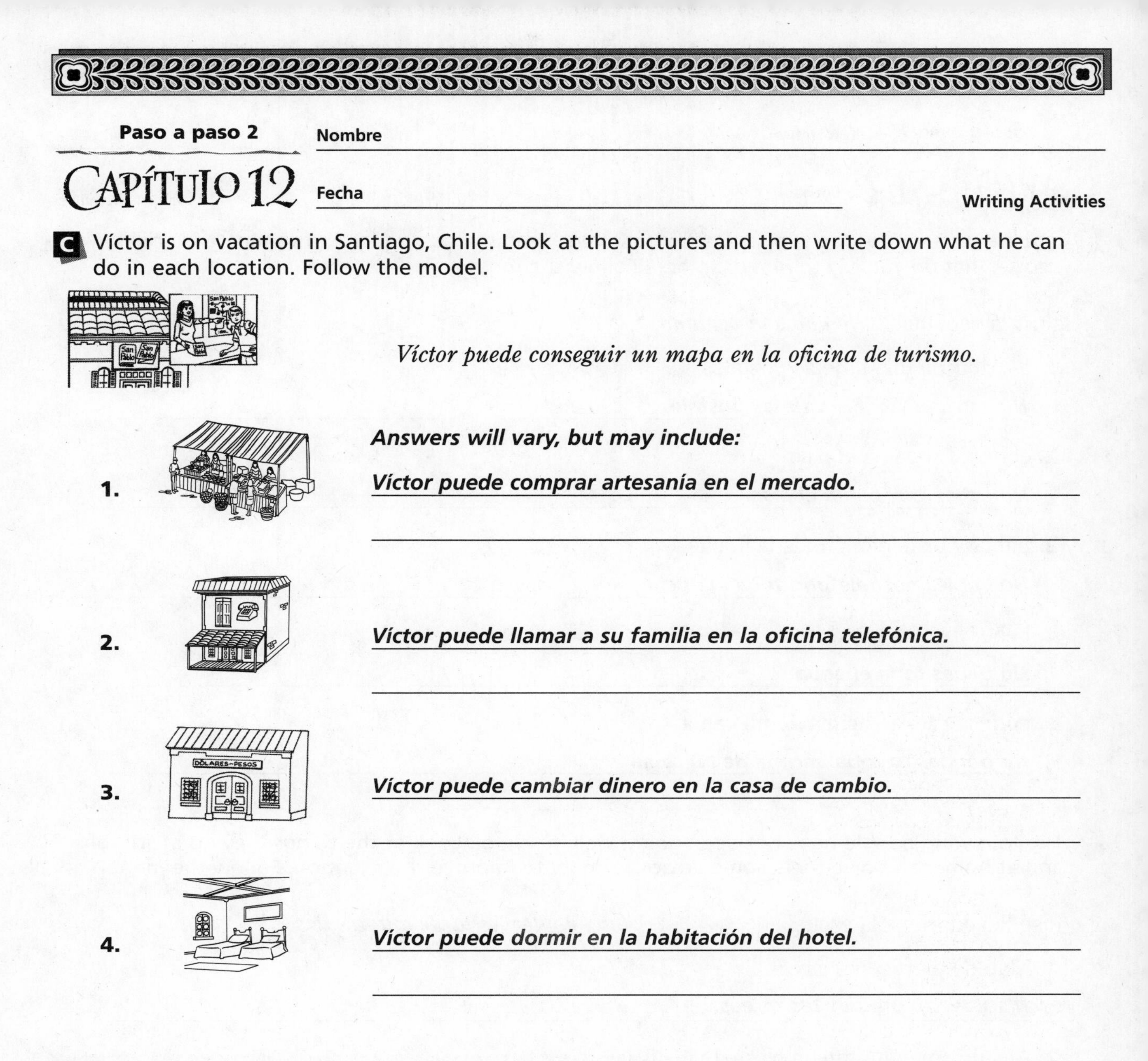

C Víctor is on vacation in Santiago, Chile. Look at the pictures and then write down what he can do in each location. Follow the model.

Víctor puede conseguir un mapa en la oficina de turismo.

Answers will vary, but may include:

1. ***Víctor puede comprar artesanía en el mercado.***
2. ***Víctor puede llamar a su familia en la oficina telefónica.***
3. ***Víctor puede cambiar dinero en la casa de cambio.***
4. ***Víctor puede dormir en la habitación del hotel.***

D You are the leader of a group of classmates who are visiting Buenos Aires. When your friends have problems, you tell each one how to resolve them. Follow the model.

Clara: Quiero comprar artesanía. / tú: ir al mercado — *Clara, ve al mercado.*

1. Carolina: Quiero salir sola. / tú: tener cuidado
   Carolina, ten cuidado.
2. Jorge: No me gusta mi compañero de cuarto. / tú: ser más paciente
   Jorge, sé más paciente.
3. Marisa: ¿Dónde debo guardar los cheques de viajero? / tú: ponerlos en un lugar seguro
   Marisa, ponlos en un lugar seguro.
4. Adela: ¿Cuándo debo salir del hotel? / tú: salir del hotel a las ocho en punto
   Adela, sal del hotel a las ocho en punto.

Paso a paso 2 Nombre ______________________

CAPÍTULO 12

Fecha ______________________ **Writing Activities**

E You are on a week-long trip to Mexico with your Spanish class, and your roommate is driving you crazy. What do you say to him or to her? Follow the model.

abrir la ventana *No abras la ventana.*

1. escribir en mis tarjetas postales
   No escribas en mis tarjetas postales.
2. echar la ropa en el piso
   No eches la ropa en el piso.
3. hablar por teléfono toda la noche
   No hables por teléfono toda la noche.
4. beber toda el agua
   No bebas toda el agua.
5. poner tu ropa encima de mi cama
   No pongas tu ropa encima de mi cama.

F The following people have not been doing well in school. Look at the things they do at school and at home, and give them some advice for how to improve the situation. Follow the model.

José llega tarde a la escuela. *José, no llegues tarde a la escuela.*

1. Matilde pierde sus tareas.
   Matilde, no pierdas tus tareas.
2. Ana duerme durante la clase de historia.
   Ana, no duermas durante la clase de historia.
3. Héctor pone los pies en el escritorio.
   Héctor, no pongas los pies en el escritorio.
4. Antonio juega videojuegos todas las noches.
   Antonio, no juegues videojuegos todas las noches.
5. Isabel sale de la escuela sin sus libros.
   Isabel, no salgas de la escuela sin tus libros.

Nombre

Fecha

G You are on vacation in Granada, Spain, and you are having a great time. While your traveling companions are resting for the *siesta*, you decide to write a postcard to Raquel, a friend who is coming to Spain soon.

Start your postcard with a greeting. Then, tell Raquel about your trip. How was your flight? Did you land on time? Also, tell her about where you are staying *(parador, hotel, pensión, etc.)*. Don't forget to mention some of the places you have visited, such as museums, palaces, markets, etc. What did you do in each place? Since this will be Raquel's first trip, give her some advice about traveling. (For example: *No pongas tu boleto en una maleta.)* Also, tell her where to go to change money, get a map, or buy handicrafts. Finally, end your postcard with a short closing.

Proofread your postcard for correct spelling and accent marks.

Now, write your postcard.

Content of postcards will vary.

Nombre ______________________________

Fecha ______________________________

H José María de la Fuente lives in El Salvador and wants to purchase a ticket to fly to New York City. Read the advertisement below and write a possible conversation between José María and Sra. Trujillo, one of the travel agents.

VIAJES DE CALIDAD

Agencia Miembro de la Sociedad Internacional de Agencias de Viaje

Edificio Sandoval
Calle San Carlos 28

Ofrecemos lo más barato en boletos aéreos...

Destino	Ida	Ida y vuelta
San José	$199	$299
Managua	$255	$471
Washington	$345	$590
Nueva York	$345	$590
Los Ángeles	$385	$640
Panamá	$235	$385

CASTILLOS en España
¡No te aburras! Disfruta de la vida venezolana

Sra. Trujillo *Sr. Trujillo*

- *Tenemos tarifas aéreas a cualquier destino...*
- *Así como hoteles, autos, excursiones, etc...*
- *Facilidades de crédito*
- *Ofrecemos transporte gratis al aeropuerto*
- *Consulte con el Sr. y la Sra. Trujillo*

¡Llame al 35-65-45 ahora mismo!

SRA. TRUJILLO: *Conversations will vary.*

JOSÉ MARÍA: ______________________________

SRA. TRUJILLO: ______________________________

JOSÉ MARÍA: ______________________________

SRA. TRUJILLO: ______________________________

JOSÉ MARÍA: ______________________________

SRA. TRUJILLO: ______________________________

JOSÉ MARÍA: ______________________________

SRA. TRUJILLO: ______________________________

JOSÉ MARÍA: ______________________________

SRA. TRUJILLO: ______________________________

Paso a paso 2

CAPÍTULO 13

Nombre ______________________________

Fecha ______________________________ Writing Activities

A Fill in this crossword puzzle with the names of the delicious foods and dishes represented in the pictures.

HORIZONTALES

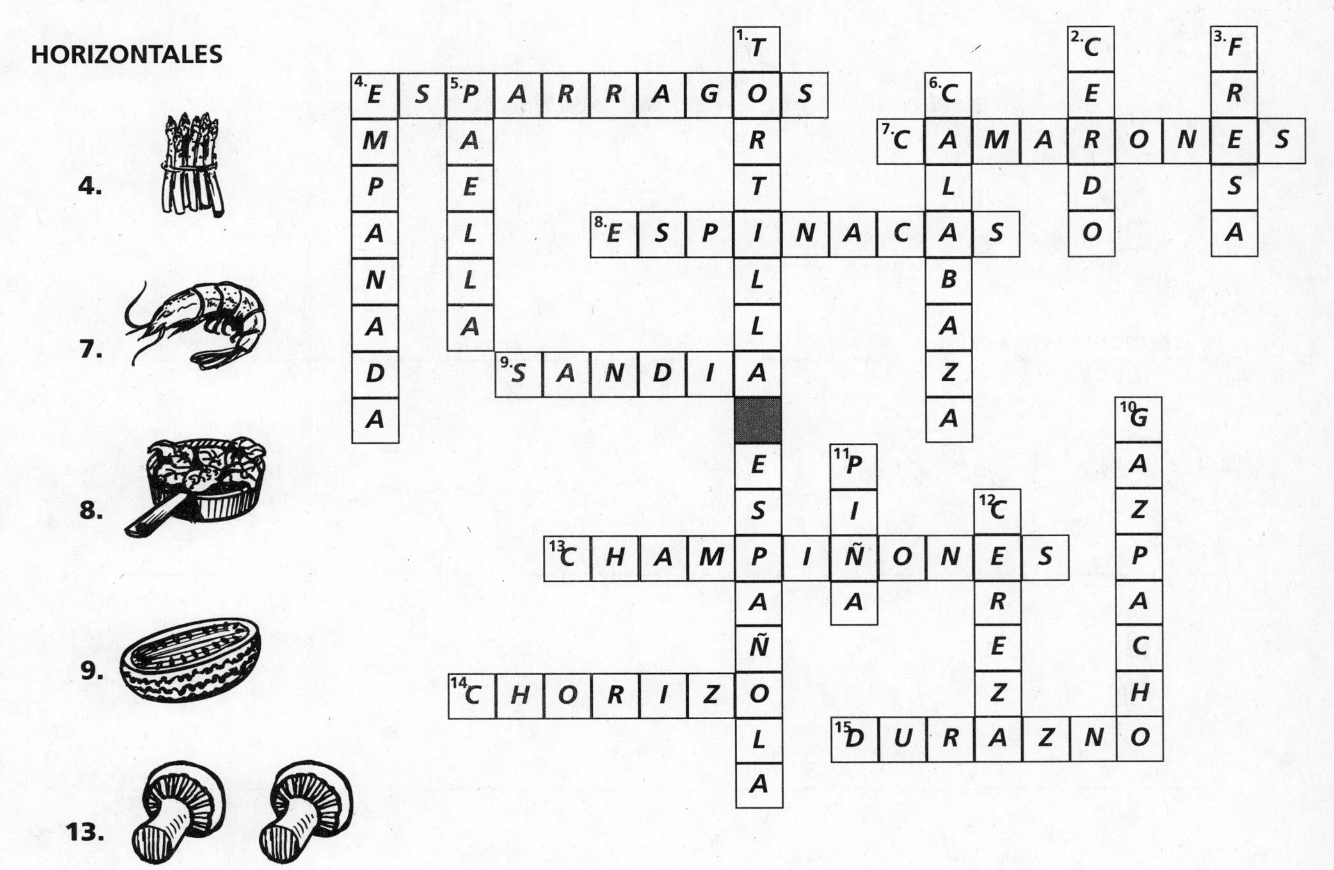

VERTICALES

Nombre ______________________________

Fecha ______________________________

B Look at each picture. Then, write down whether or not you like the item. Explain why you feel that way. Follow the model.

No me gusta el cerdo porque es demasiado salado.

1. 

Statements will vary.

2. 

____

3. 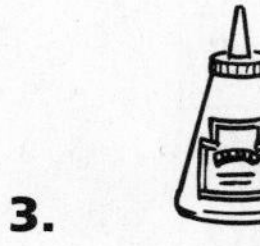

____

4. 

____

5. 

____

Nombre ______

Fecha ______

C You're planning a party for next weekend and you need to make a shopping list. Look at the pictures of the dishes you're going to make and write down what items you need to buy for each one. Follow the model.

Necesito comprar plátanos, naranjas, manzanas, piñas, melones, cerezas, duraznos y sandía para hacer la ensalada de frutas.

1. 

   Necesito comprar huevos, papas, cebollas y aceite para hacer la tortilla española.

2. 

   Necesito comprar harina, azúcar, huevos y fresas para hacer la tarta de fresas.

3. 

   Necesito comprar tomates, ajo, pepinos, pimientos verdes y aceite para hacer el gazpacho.

4. 

   Necesito comprar arroz, mariscos (camarones), chorizo y pollo para hacer la paella.

5. ***Necesito comprar harina, huevos y pollo (carne, cerdo, queso) para hacer las empanadas.***

D In order to stay on the soccer team, your friend Carola must improve her grades. You have offered to help her. For each statement she makes, give her the appropriate advice. Follow the model.

Siempre olvido mis libros en casa. *No olvides tus libros en casa.*

1. Hago mi tarea mientras veo la televisión.

   No hagas tu tarea mientras ves la televisión.

2. A veces duermo durante la clase.

   No duermas durante la clase.

3. Hablo por teléfono en vez de hacer la tarea.

   No hables por teléfono en vez de hacer la tarea.

4. Empiezo a hacer la tarea a las diez de la noche.

   No empieces a hacer la tarea a las diez de la noche.

Nombre ______________________________

Fecha ______________________ **Writing Activities**

E In every family there are rules about what you can and cannot do. Think about your own family's rules. Write sentences which explain what your parents would like you and your brothers and/or sisters to do or not to do. Follow the model.

Mis padres quieren que saque buenas notas en la escuela.

1. ***Statements will vary.***
2. ______________________________
3. ______________________________
4. ______________________________

F Several friends are helping you to prepare gazpacho. Suggest a task for each of them to do. Follow the model.

Luisa / lavar / *Sugiero que Luisa lave los pepinos.*

1. **Marta y Tomás / cortar /**

   Sugiero que Marta y Tomás corten los pimientos verdes.

2. **Ricardo / buscar /**

   Sugiero que Ricardo busque el aceite y el vinagre.

3. **tú / picar /**

   Sugiero que (tú) piques el ajo.

4. **Ana y Alicia / revolver /**

   Sugiero que Ana y Alicia revuelvan el gazpacho.

Nombre ______________________

Fecha ______________________

G You are the *Consejero(a) Sabio(a),* the advice columnist for the school newspaper. Students send you letters asking for advice and you respond to them through your column. Here are two letters that you received recently.

> Querido(a) Consejero(a) Sabio(a):
> Quiero participar en el equipo de fútbol de nuestra escuela, pero me cuesta mucho hacer ejercicio y correr. ¿Qué debo hacer?
>
> Alejandro Pocoejercicio

> Querido(a) Consejero(a) Sabio(a):
> Tengo problemas con mis amigos. Ellos van al centro comercial todas las tardes y nunca hacen su tarea. Me gusta estar con ellos, pero también quiero sacar buenas notas. ¿Qué debo hacer?
>
> Carmen Confundida

First, read the letters and think about the advice you would give to each one of the students. Start each letter with a greeting. Then, give your advice. Use *Sugiero que...* and *Recomiendo que....*, followed by the subjunctive. Suggest two or three options to each person. End your letter with a closing.

Proofread each letter for correct spelling and accent marks. Also, make sure that you have used the subjunctive forms correctly.

Now, write your letters.

______________________:

Content of letters will vary.

______________________:

Nombre ______

Fecha ______

H Read these nutrition labels from two different cereal boxes. Then, write a conversation that six-year-old Carlitos and his father might have while they're in the supermarket buying cereal for tomorrow's breakfast.

SORPRECEREAL	
Datos nutritivos	
Porción 1 taza	(30g)
Calorías	125
Calorías de grasa	20
Total de grasa 2g	3%
Colesterol 0mg	0%
Sodio 140mg	6%
Potasio 25mg	1%
Carbohidratos 26g	9%
Azúcar 12g	
Proteína 1g	

NUTRIBUENO	
Datos nutritivos	
Porción 1 taza	(30g)
Calorías 115	
Calorías de grasa	15
Total de grasa 1.5g	2%
Colesterol 0mg	0%
Sodio 125mg	5%
Potasio 20mg	1%
Carbohidratos 26g	9%
Azúcar 5g	
Proteína 10g	

CARLITOS: *Conversations will vary.*

PAPÁ: ______

CARLITOS: ______

PAPÁ: ______

CARLITOS: ______

PAPÁ: ______

CARLITOS: ______

PAPÁ: ______

CARLITOS: ______

PAPÁ: ______

Nombre

CAPÍTULO 14

Fecha

Writing Activities

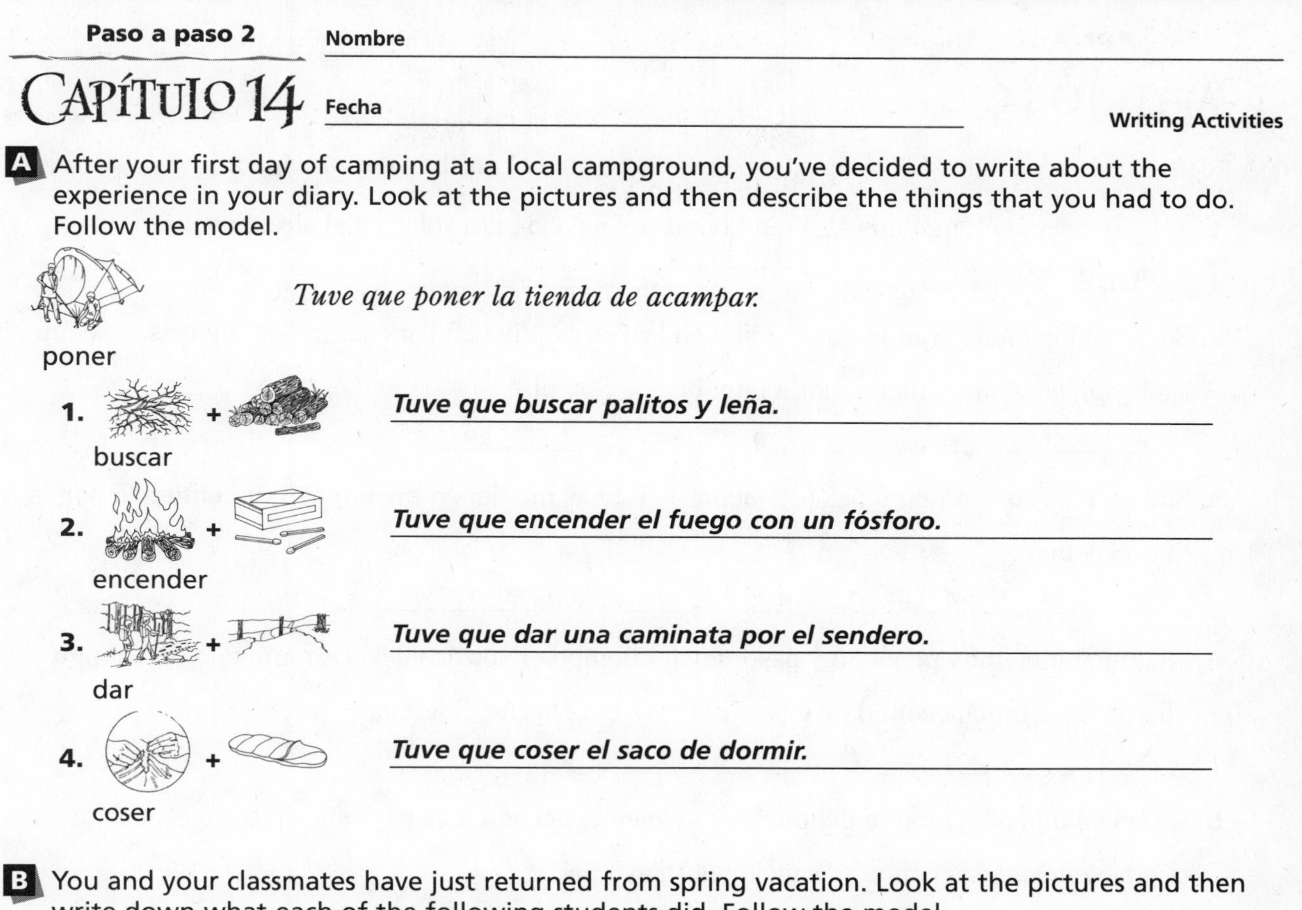

A After your first day of camping at a local campground, you've decided to write about the experience in your diary. Look at the pictures and then describe the things that you had to do. Follow the model.

poner — *Tuve que poner la tienda de acampar.*

1. buscar — ***Tuve que buscar palitos y leña.***
2. encender — ***Tuve que encender el fuego con un fósforo.***
3. dar — ***Tuve que dar una caminata por el sendero.***
4. coser — ***Tuve que coser el saco de dormir.***

B You and your classmates have just returned from spring vacation. Look at the pictures and then write down what each of the following students did. Follow the model.

Raúl — *Raúl navegó en balsa.*

1. Timoteo y Andrea

Timoteo y Andrea navegaron en canoa.

2. Marta

Marta hizo moto acuática.

3. Miguel y yo

Miguel y yo hicimos surf de vela.

4. Lourdes

Lourdes escaló montañas.

C Read each description, then write the name of the animal on the lines provided.

1. Soy un insecto. Tengo dos alas muy bonitas. Las uso para volar en el aire. Soy una

m a r i p o s a.

2. Soy el animal más grande que camina en la Tierra. Vivo en África e India. Soy gris, y según las leyendas, tengo una memoria muy buena. Soy un

e l e f a n t e.

3. Soy muy largo. No tengo patas. Muchas personas me tienen miedo, pero no entiendo por qué. Soy una

s e r p i e n t e.

4. Soy un animal muy pequeño y paso mucho tiempo en los árboles. Durante el otoño, tengo que recoger mucha comida y guardarla para el invierno. Soy una

a r d i l l a.

5. Soy el animal más grande del mundo. Vivo en el océano. Las personas que me escuchan quedan encantadas con mis "canciones." Soy una

b a l l e n a.

6. Soy un pájaro nocturno. Prefiero dormir durante el día y buscar comida durante la noche. Soy un

b ú h o.

Nombre ____________________

Fecha ____________________

D What does the travel agent recommend that the following tourists do during their vacations? Look at the pictures and then write down the recommendations. Follow the model.

nosotros / *El agente de viajes recomienda que hagamos surf.*

1. tú /

El agente de viajes recomienda que hagas esquí acuático.

2. yo /

El agente de viajes recomienda que (yo) haga moto acuática.

3. Margarita / 

El agente de viajes recomienda que Margarita haga surf.

4. Uds. /

El agente de viajes recomienda que Uds. hagan surf de vela.

E The following people have been telling you which animals they would like to be able to see in the wild. Write down where you would suggest that each of them go in order to see that animal. Follow the model.

Roberto quiere ver una ballena. *Sugiero que Roberto vaya al océano para ver una ballena.*

1. Isabel quiere ver un coyote. ***Suggestions will vary, but may include the following.***

Sugiero que Isabel vaya al desierto para ver un coyote.

2. Martín y Luis quieren ver una rana.

Sugiero que Martín y Luis vayan al río para ver una rana.

3. José quiere ver un lobo.

Sugiero que José vaya al parque nacional para ver un lobo.

4. Yo quiero ver un venado.

Sugiero que tú vayas al bosque para ver un venado.

F The camp director has left instructions so that you will have a better camping experience, but some of the information is missing. Look at the pictures and then write the sentences. Follow the model.

/ ligero *Es mejor que el saco de dormir sea ligero.*

1. **/ seco**

Es mejor que los palitos sean secos.

2. **/ grande**

Es mejor que la olla sea grande.

3.  **/ pequeño**

Es mejor que el fuego sea pequeño.

4. [tent] / fuerte

Es mejor que la tienda de acampar sea fuerte.

G As you and your classmates get ready for summer vacation, everyone is looking for information about different vacation spots. Think about a place where you have vacationed in the past. Write a short travel brochure to promote it.

Start by telling the name and location of the place. Then, give a brief description of it. What kind of place is it? What can people do there? What is it important or necessary to take along with you if you go there? Do you have any other recommendations for making a vacation at this place enjoyable? You might want to add a title and some illustrations to make your brochure more attractive and to catch your readers' attention.

Check your brochure for correct spelling and accent marks. Make sure you have used the subjunctive where necessary.

Now, write your travel brochure.

Brochures will vary.

H Carmen Gloria has just received this postcard from her friend Ricardo. As soon as she finishes reading it, she wants to call Ana, another friend, to tell her about it. Read the postcard and then make a list of the good and bad things that Ricardo writes about.

Querida Carmen Gloria:

Te escribo desde el parque nacional. Hace muy buen tiempo ahora, pero cuando llegamos llovía muchísimo. La tienda de acampar estaba rota y mi hermano tuvo que coserla. Me encanta estar al aire libre y ver los animales. Ayer vi un lobo, dos venados y muchas ardillas. Estaba dando una caminata cuando me picó una abeja. Bueno, te veo en un par de días.

¡Hasta luego!

Ricardo

PARQUE NACIONAL ESPAÑA

Carmen Gloria Rodríguez
Avda. Santa María 59, 4ºA
38903 Alicante
ESPAÑA

Lo bueno:

Statements may vary.
Hace buen tiempo ahora.
Su hermano cosió la tienda.
Vio muchos animales.
Le encanta estar al aire libre.

Lo malo:

Statements may vary.
Llovía mucho cuando llegaron.
La tienda estaba rota.
Le picó una abeja.

Now, think about the last vacation you had or the last trip you took. List three good things and three bad things about it.

Lo bueno:

Statements will vary.

Lo malo:

Audio Activities

Nombre ______________________

Fecha ______________________

Actividad P.1

Listen to the following students tell what they look forward to as they return to school. Write the name of each speaker under the corresponding picture. You will hear each statement twice.

Actividad P.2

In an effort to help students get to know each other, the student council is conducting a survey entitled *Soy como soy*. Listen to the questions and write your answers below.

1.	*Answers will vary.*
2.	
3.	
4.	
5.	

Nombre ____________________

Fecha ____________________

Actividad P.3

After only a week of school, many students find it difficult to sit in their seats for such a long time! As you listen to these students asking permission to leave their seats, write the number of the request under the corresponding picture.

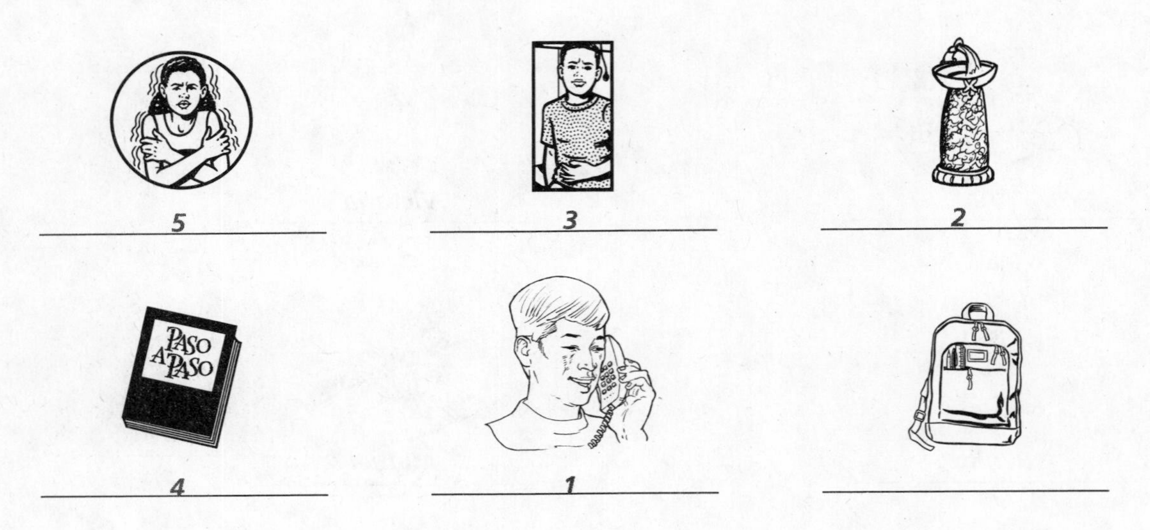

Actividad P.4

As you listen to the following group of words, decide which word does not belong in the group. Write that word in the grid below.

1.	*el otoño*
2.	*el sótano*
3.	*la salud*
4.	*atrevido*
5.	*noche*

Nombre ______________________

Fecha ______________________

Actividad 1.1

Listen to the following students describe their classes on the first day of school. Write the number of the statement under the corresponding picture. You will hear each statement twice.

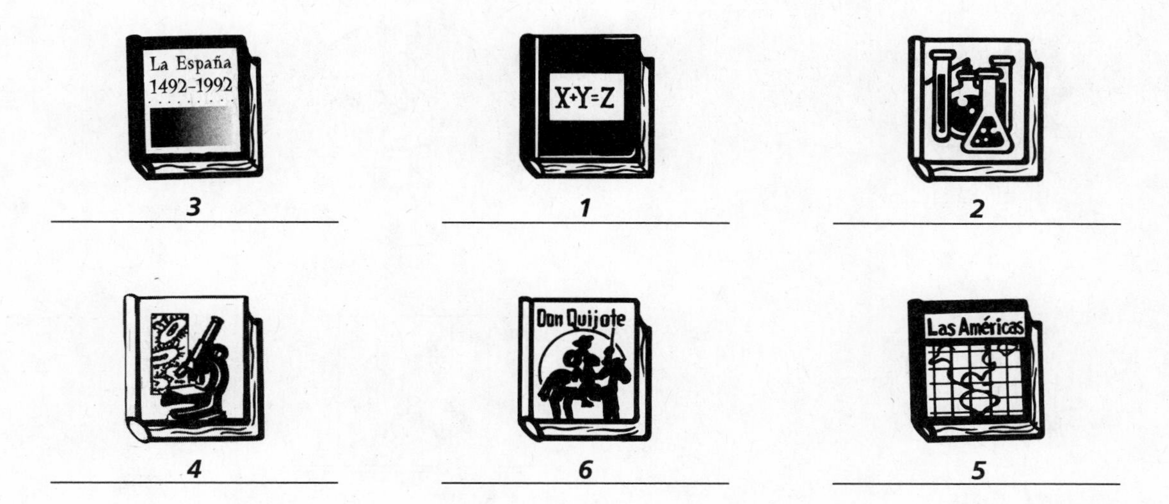

Actividad 1.2

Juan Manuel, Beto, and Felipe have left their book bags in the boys' locker room. See if you can figure out to whom each bag belongs. Here are some clues: Juan Manuel is hosting a Russian exchange student, Beto is on the yearbook staff, and Felipe loves sports. As you hear the descriptions of the three bags and their contents, fill in the grid below.

	Color del bolso	Dos objetos en el bolso	¿De quién es?
Primer bolso	*negro*	Answers will vary, but may include: *calculadora, libro de números telefónicos, diccionario ruso*	*Juan Manuel*
Segundo bolso	*blanco*	*Cámara, fotos*	*Beto*
Tercer bolso	*amarillo*	Answers will vary, but may include: *tarjetas de béisbol, revistas deportivas, tenis, pelota, calcetín*	*Felipe*

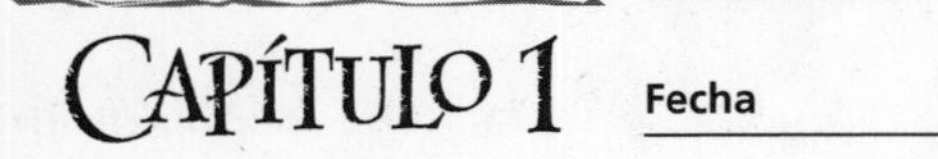

Actividad 1.3

Listen to the principal welcoming students back to school. Circle the drawings that represent what students are allowed to do, and put an X over the drawings that represent what students are *not* allowed to do.

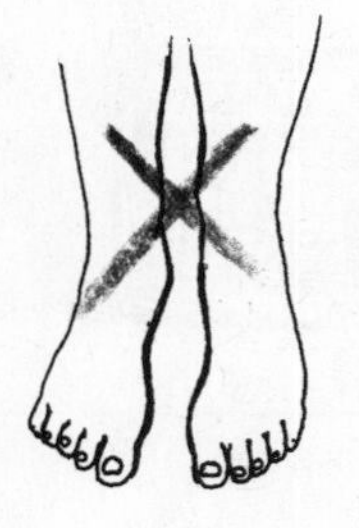

Actividad 1.4

Listen as Rolando describes his favorite people. Write the number of the statement under the corresponding picture.

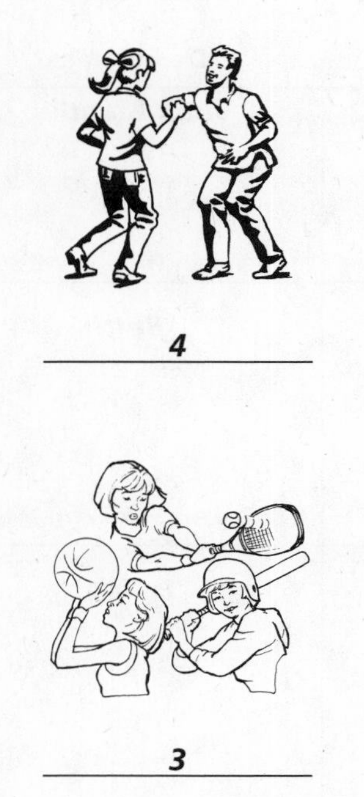

4

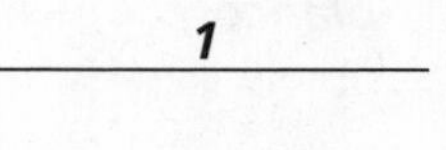

1

3

2

Actividad 1.5

Now listen as Rolando compares four pairs of friends who are as different as night and day. For each comparison, write the names of the people he is describing under the corresponding pictures.

Nombre ______________________

Fecha ______________________

Actividad 2.1

Listen as you hear a typical morning in the Hotel Reina Sofía being described. Write the room number of the hotel guest under the corresponding picture. You will hear each statement twice.

435

225

830

612

415

342

506

256

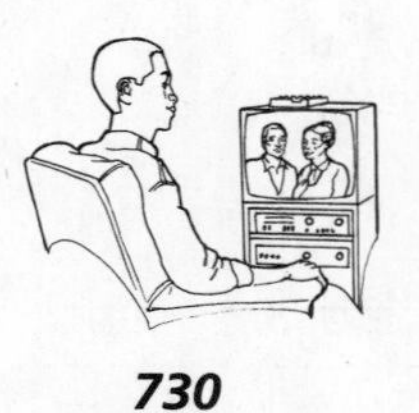

730

160

Nombre ____________________

Fecha ____________________

Actividad 2.2

As part of freshman orientation, students can go to the *Feria de clubes* to find the perfect club or activity for them. Write the number of the conversation next to the name of the corresponding club or activity.

El periódico de la escuela ___5___

La revista literaria ___1___

El coro ___6___

El club de computadoras ___4___

El club atlético ___3___

El club de arte ___2___

El club de ciencia ___8___

La orquesta ___7___

Actividad 2.3

Listen as Julio and Marta, candidates for student council president, deliver their campaign speeches. As you listen to each speech, check off the campaign promises for each candidate on the grid below.

Promesas	Julio	Marta
Una hora para el almuerzo	✔	
Música en la cafetería	✔	
Más actividades extracurriculares		✔
Un club de servicio social		✔
Programa de ayuda para estudiantes		✔

Paso a paso 2

CAPÍTULO 2

Nombre ____________________

Fecha ____________________ **Audio Activities**

Actividad 2.4

As part of a scavenger hunt, your team must collect seven items. Listen to the following clues for those items and put the number of the clue under the corresponding picture. Two of the items will not be used.

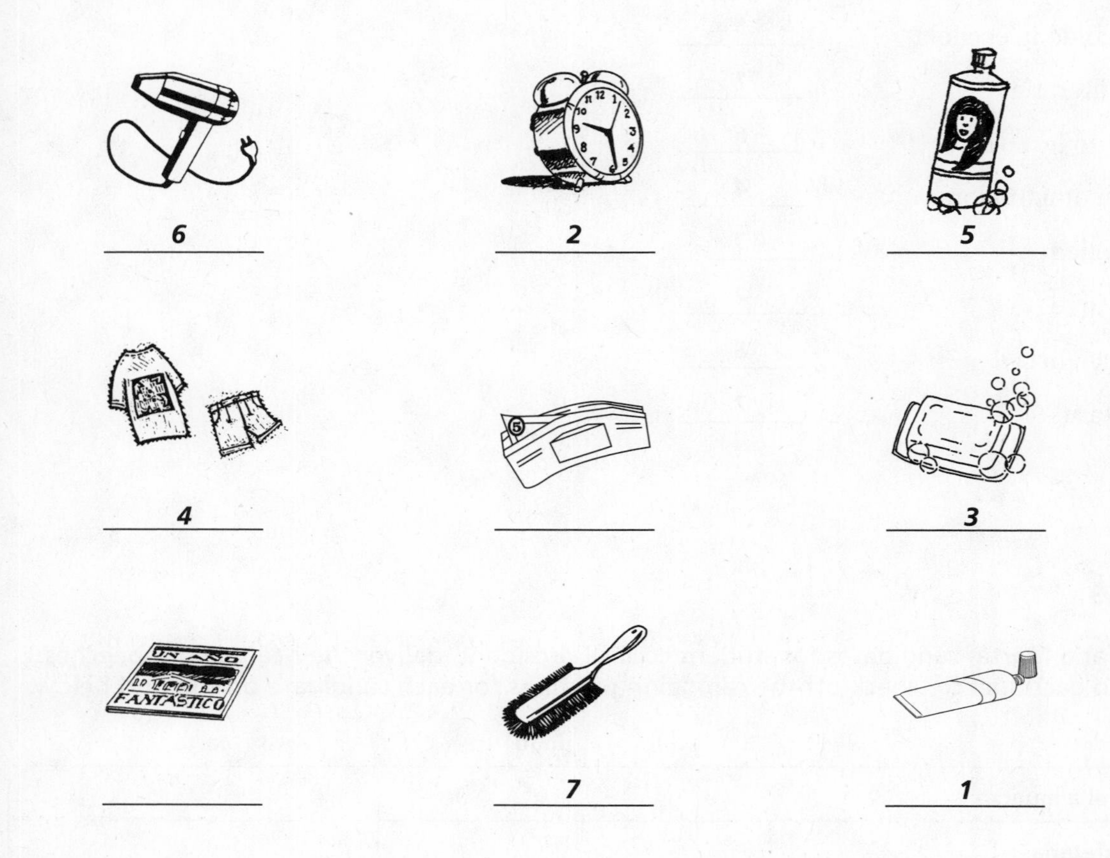

Actividad 2.5

You are babysitting little Mario Sosa. Listen to Sra. Sosa's taped message outlining your responsibilities. In the grid below, check off the things that Mario can do for himself *(Mario puede hacerlo)* and what you must do for him *(Mario no puede hacerlo)*.

	Mario puede hacerlo	Mario no puede hacerlo
Servirse leche antes de acostarse		✔
Bañarse		✔
Lavarse el pelo		✔
Cepillarse los dientes	✔	
Vestirse	✔	

Nombre

Fecha

Actividad 3.1

Listen to the following radio ads for three stores. Write the number of the ad under the corresponding picture. You will hear each ad twice.

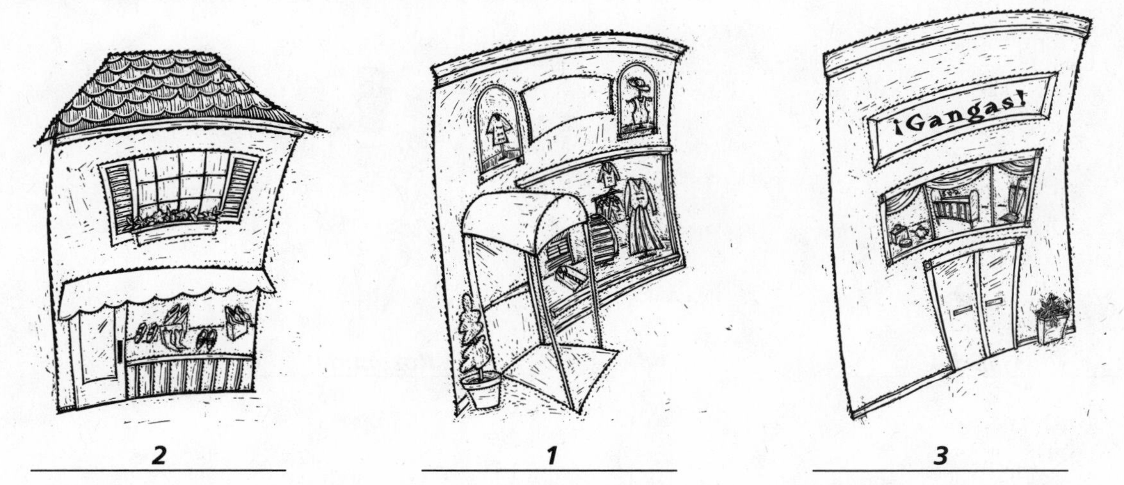

2 | *1* | *3*

Actividad 3.2

Listen as tourists from the United States buy clothes and shoes in Barcelona. As you listen to the conversations, write down the U.S. size and the European size in the corresponding box in the grid.

	Vestidos	Blusas	Zapatos	Camisas
Tallas norteamericanas	*10*		*10*	*15*
Tallas europeas	*42*		*42*	*38*

Nombre

Fecha

Actividad 3.3

Listen to Daisy Danilo from the TV show *De moda* interview people in a shopping mall regarding their clothing preferences. Write the name of the person being interviewed under the corresponding picture.

Gabriel

Rosalinda

Susie

Nacho

Nombre ______________________

Fecha ______________________

Actividad 3.4

Tomás works at a currency exchange in an international airport. Listen as the following people exchange their currency into U.S. dollars. Using the chart on p. 106 of your text, write the name of the currency next to the name of the corresponding country.

Nicaragua	***córdoba***	Guatemala	***quetzal***
España	***peseta***	Ecuador	***sucre***
Venezuela	***bolívar***	Honduras	***lempira***

Actividad 3.5

Listen to the following teenagers describe the most daring thing they ever did. Write the number of the statement under the corresponding picture.

4

1

3

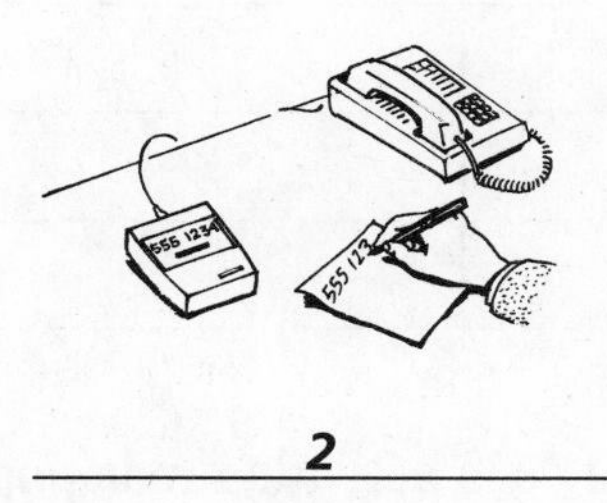

2

Nombre ____________________

Fecha ____________________

Audio Activities

Actividad 4.1

You and your friend are taking inventory of the sports equipment in the coaches' office. As your friend calls out the total amount of each item, write that amount under the corresponding picture.

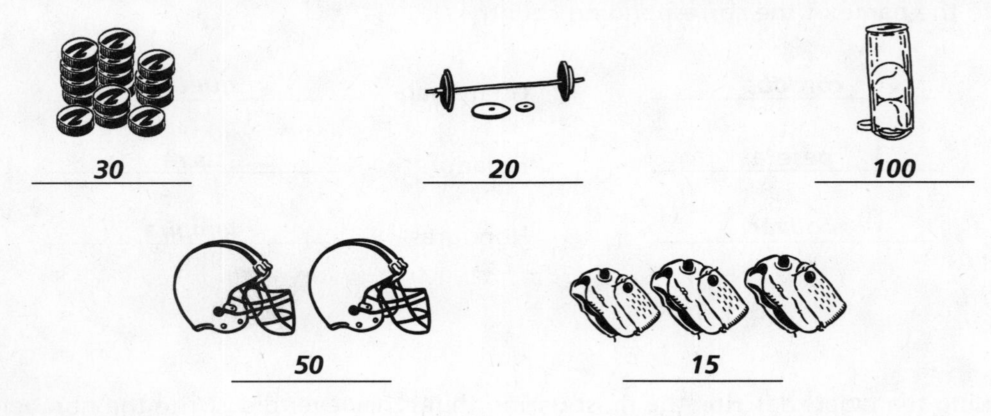

Actividad 4.2

The DJ on the radio program *Para ti* has thrown out a question to her listening audience: What do you do to shake off the blues? Listen as eight different teenagers call in with their suggestions. Check off each caller's response in the grid below, then answer the question at the bottom.

	Hacer ejercicio	Hablar con alguien	Visitar una exposición	Hacer un rompecabezas
Ernesto	✔			
Claudia		✔		
Victoria		✔		
Javier	✔			
Gerardo	✔			
Paloma			✔	
Solimar			✔	
Ramón				✔

Para estos jóvenes, ¿cuál es la actividad más popular para no estar tristes? ***Hacer ejercicio.***

Paso a paso 2

Capítulo 4

Nombre ______________________

Fecha ______________________

Audio Activities

Actividad 4.3

As a show of gratitude, a group of high school Spanish students has recorded a tape for their parents. As you hear each message, write in the name of the student next to his or her message.

Gracias por…

…no cambiar el canal de la tele.	*Pablo*
…leerme libros cuando estaba enferma.	*Silvia*
…comprarme una bicicleta roja.	*Mateo*
…ayudarme con mi tarea.	*Sergio*
…escuchar música de rock conmigo.	*Laura*
…prestarme tu tarjeta de crédito.	*Luis*
…dejarme vestirme como quiero.	*Lupe*

Actividad 4.4

Listen to the following clues about sports and games. Write the number of the clue under the corresponding picture.

3

4

1

6

2

5

Actividad 4.5

Listen to the following joke. Circle the correct answer to the three parts of the joke. Then see if you can repeat the joke in Spanish to a partner.

El problema del hombre:	Piensa que es gorila.
	Piensa que es gallina. (circled)
	Piensa que es médico.
La respuesta del siquiatra:	Ir al hospital por diez días. (circled)
	Ir al zoológico por tres días.
	Ir a la clínica por tres días.
Lo que dice el hombre:	La gallina necesita los huevos.
	Su familia necesita una cocina.
	Su familia necesita los huevos. (circled)

Nombre ______________________

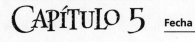

Fecha ______________________

Actividad 5.1

Do you remember your favorite childhood toy? Listen as each of the following people describe a favorite childhood toy. On the grid below, write the name of the toy, the age at which the speaker played with it, and who gave the speaker the toy.

	Juguete	Edad en que jugaba con el juguete	Persona que le regaló el juguete
Rogelio	*triciclo*	*tres años*	*sus abuelos*
Marta	*muñeca*	*siete años*	*su tía*
Andrés	*camión*	*ocho años*	*su hermano*
Lorena	*oso de peluche*	*seis meses*	*su padre*
Humberto	*bloques*	*cinco años*	*su mamá*

Actividad 5.2

Ricardo, Susana, Marcos, and Julia haven't seen their preschool teacher, Srta. Rosi, since they were four years old. Now that they are teenagers, Srta. Rosi can't believe how they've grown. Listen as Srta. Rosi reminisces about their childhood, and write the name of each child under the corresponding picture.

Marcos

Susana

Julia

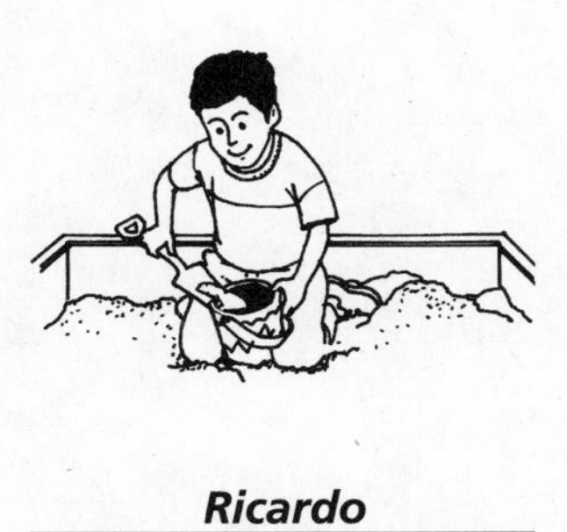

Ricardo

Nombre ______________________________

Fecha ______________________

Actividad 5.3

Listen to the following people recall their childhood and what roles they used to assume at play. Put the number of the statement under the name of the corresponding profession each person imagined as a child.

3 ______________________

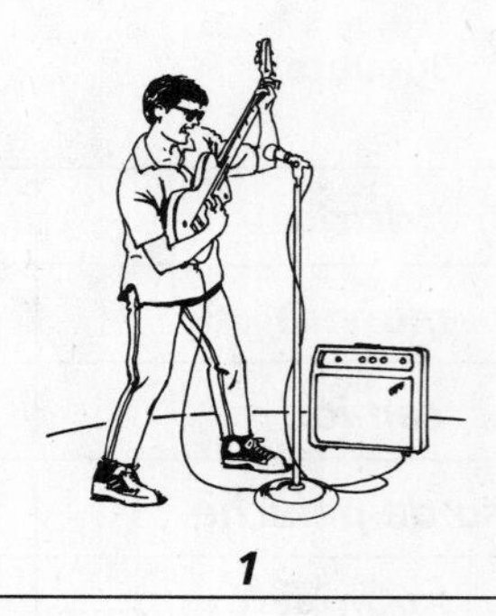

1 ______________________

2 ______________________

4 ______________________

6 ______________________

5 ______________________

Nombre ______________________________

Fecha ______________________________

Actividad 5.4

Decide if the following people are giving good advice *(buen consejo)* or bad advice *(mal consejo)*, to young people. Put a check mark in the appropriate place on the grid. At the end of the activity, compare your answers with those of a partner.

Answers will vary, but encourage students to defend their answers.

	Buen consejo	Mal consejo
1.		
2.		
3.		
4.		
5.		
6.		

Actividad 5.5

Anita and Pedro are visiting Mexico and are telling some children about the television programs they used to watch in the United States when they were children. Listen to each description and identify the television program, choosing from the list below. Write the number of the description next to the name of the television program.

Barney and Friends *1*

The Bozo Show *4*

Bugs Bunny *2*

Casper the Friendly Ghost ____

Mr. Rogers' Neighborhood *6*

Sesame Street *5*

The Road Runner ____

The Three Stooges *3*

Nombre ______________________________

Fecha ______________________________

Actividad 6.1

Listen as three people describe celebrations they recently attended. Determine whether the speaker had a good time *(lo pasó bien)* or a bad time *(lo pasó mal)* at the celebration. Check off your answers in the correct blanks under the corresponding pictures.

Lo pasó bien ______	Lo pasó bien ✔	Lo pasó bien ______
Lo pasó mal ✔	Lo pasó mal ______	Lo pasó mal ✔

Actividad 6.2

Listen as two women describe birthstone jewelry that they and their sisters received on their birthdays. As you listen, refer to the chart below and write the month each woman was born next to her name.

enero	granate
febrero	amatista
marzo	aguamarina
abril	diamante
mayo	esmeralda
junio	perla

julio	rubí
agosto	peridoto
septiembre	zafiro
octubre	ópalo
noviembre	topacio
diciembre	turquesa

1. Sra. Salgado *mayo*
2. Elizabeth *junio*
3. Gladys *abril*
4. Profesora Nuncio *diciembre*
5. Ana Paula *julio*
6. Micaela *marzo*

Actividad 6.3

Listen as six people describe anniversary gifts. As you listen to each speaker, write the number of the anniversary *(primero, segundo, quinto,* etc.*)* under the corresponding picture.

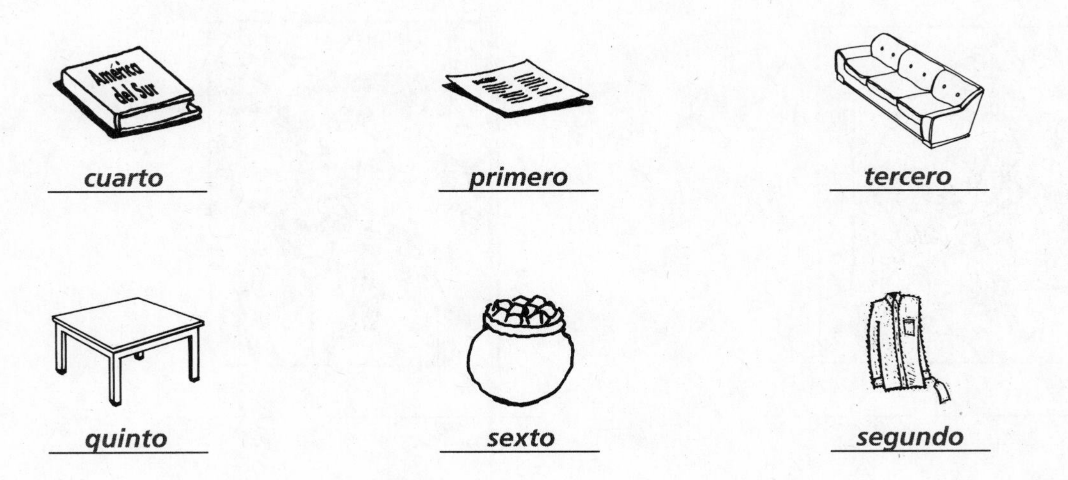

cuarto *primero* *tercero*

quinto *sexto* *segundo*

Actividad 6.4

You don't always get what you want for your birthday! As you listen to the following statements, mark on the grid whether or not the person received what he or she wanted.

¿Recibió lo que pidió?

	Sí	No
1. Alicia	✔	
2. Jorge	✔	
3. Susana		✔
4. Toni	✔	
5. Carmen		✔
6. José Alberto	✔	

Nombre ______________________________

Fecha ______________________________

Actividad 6.5

What's your favorite holiday? Listen as three people talk about their favorite holiday. Write the number of the statement under the corresponding picture.

2

1

3

____

Paso a paso 2

Capítulo 7

Nombre ____________________

Fecha ____________________

Audio Activities

Actividad 7.1

Listen to five teenagers talking about earning their own money and what they plan to buy. As you listen to each teen's reason for the purchase, determine whether you think the purchase is a luxury *(lujo)* or necessity *(necesidad)*, and put a check mark in the corresponding blank under the picture. Be prepared to defend your answer.

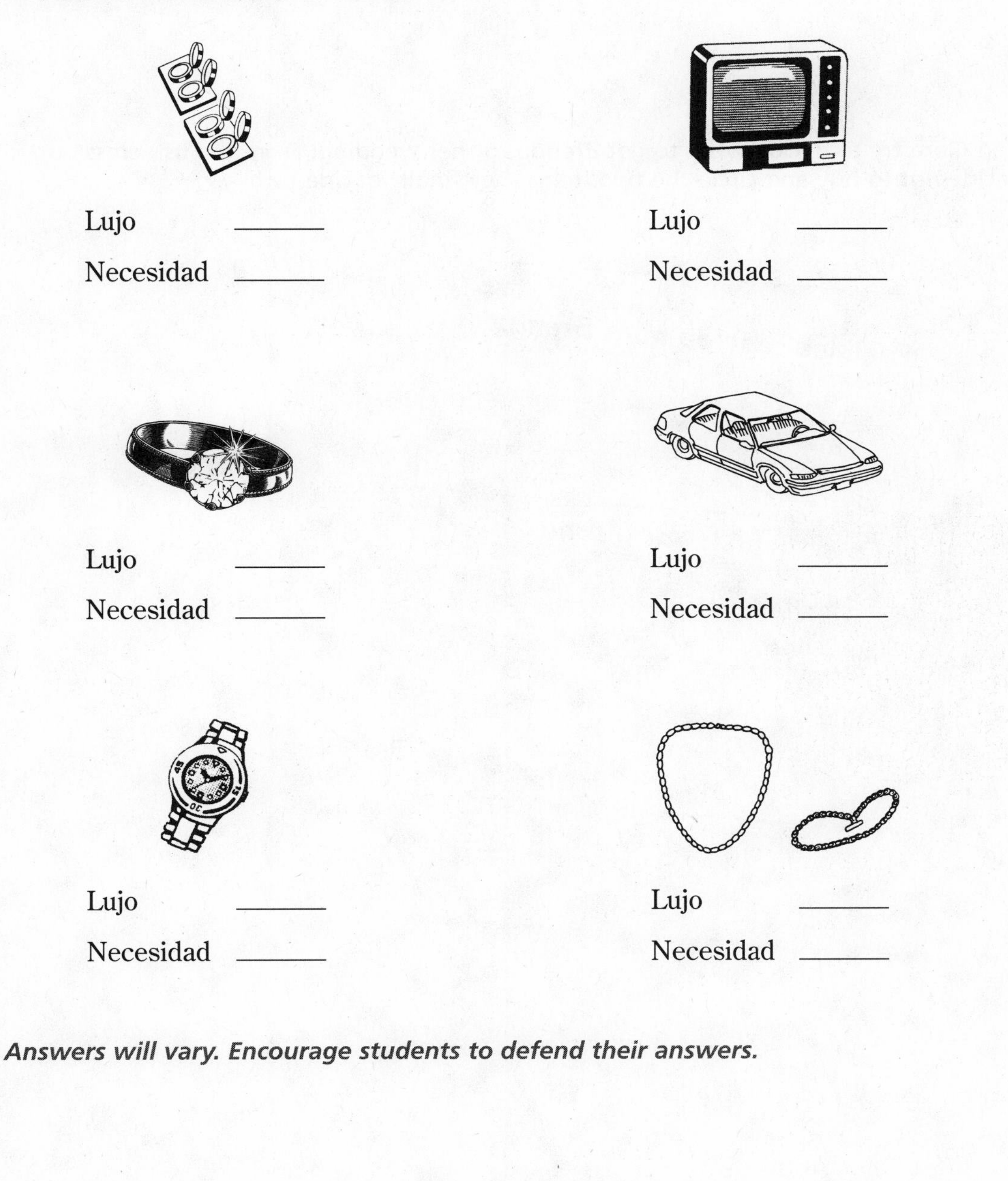

Lujo ______
Necesidad ______

Lujo ______
Necesidad ______

Lujo ______
Necesidad ______

Lujo ______
Necesidad ______

Lujo ______
Necesidad ______

Lujo ______
Necesidad ______

Answers will vary. Encourage students to defend their answers.

Nombre ______________________

Fecha ______________________

Actividad 7.2

Listen to three teenagers trying to convince their parents to buy them their own computer. Circle the name(s) of the teenager(s) whose parents will be buying a computer.

Angélica (Gabriel) Gina

Actividad 7.3

Listen as Linda and Clara try to decide what to get Brenda for her wedding. From the list, cross out the items they decide *not* to buy and circle the two items they finally decide to buy.

Posibles regalos para Brenda

(un radio)
~~perfume~~
~~ropa~~
(un extinguidor de incendios)
~~un tostador~~
~~un microondas~~

Actividad 7.4

The day of Brenda's bridal shower has arrived, and her friends are playing a game called "Guess the gift." As you listen to the clues being read from the gift tags, draw a line from the gift tag bearing the giver's name to the corresponding gift.

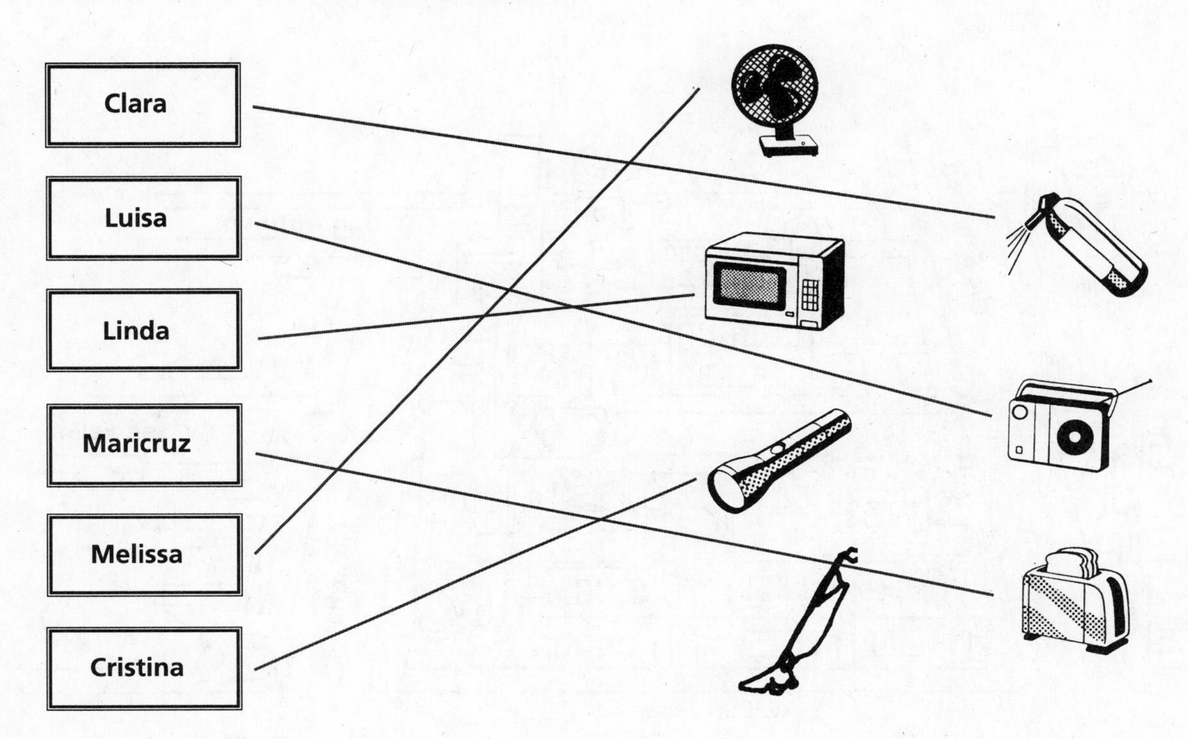

Actividad 7.5

Alex, Susana, and Lisa are cleaning the house one Saturday morning. As you hear each statement, look for the picture of the item being described, and circle the name of the owner.

Nombre

CAPÍTULO 8

Fecha

Actividad 8.1

Listen as people in a hotel call the front desk for help. As you listen to each conversation, match each caller to the spot on the map below by writing the number of the conversation in the corresponding circle.

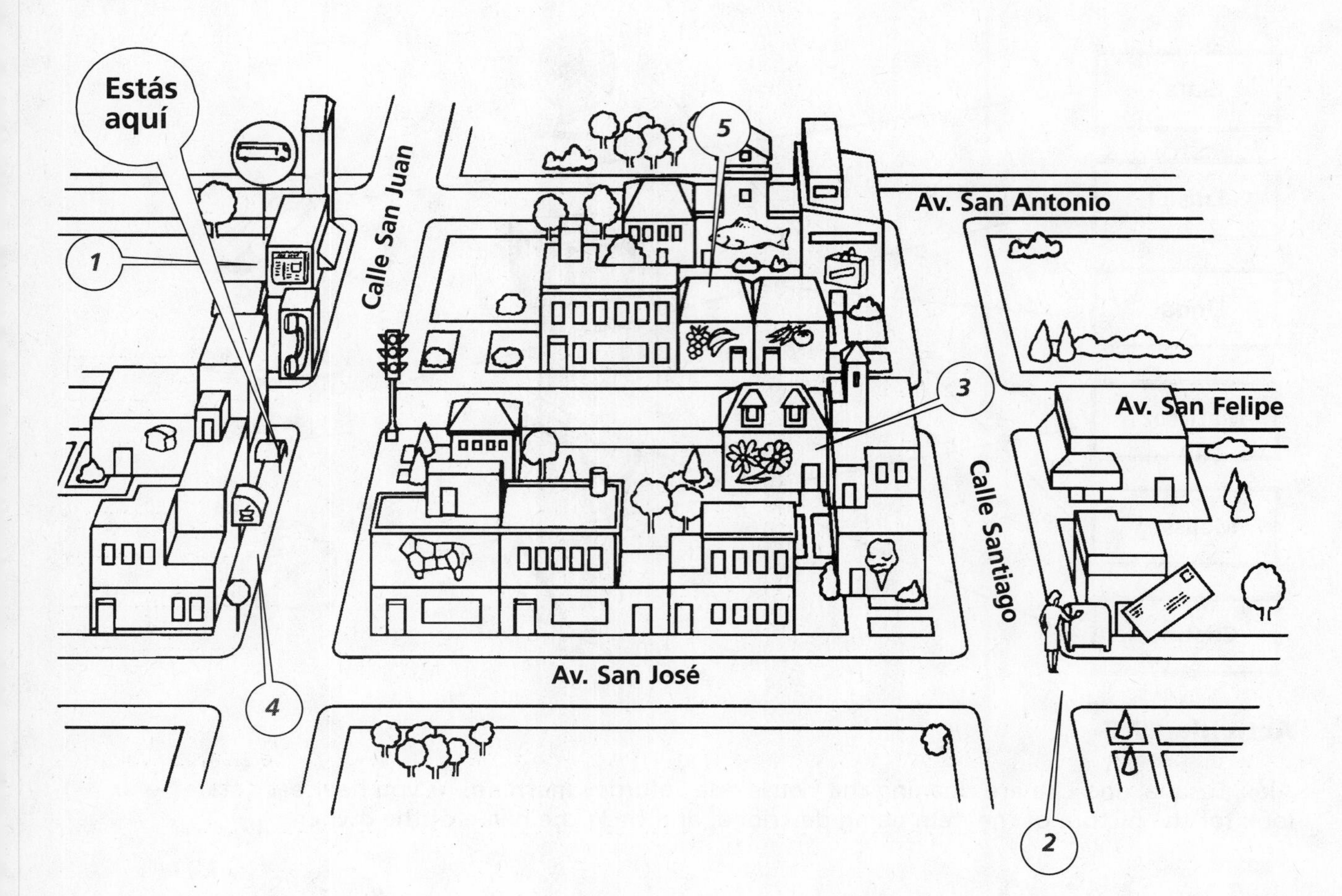

Nombre ______________________

Fecha ______________________

Actividad 8.2

A group of friends have gone to the mall, and have agreed to meet in two hours at the entrance of Almacén Macías. Two friends have arrived on time, and the rest are late. As the two friends speculate on where the others might be, write the names of all the friends on the corresponding lines of the picture.

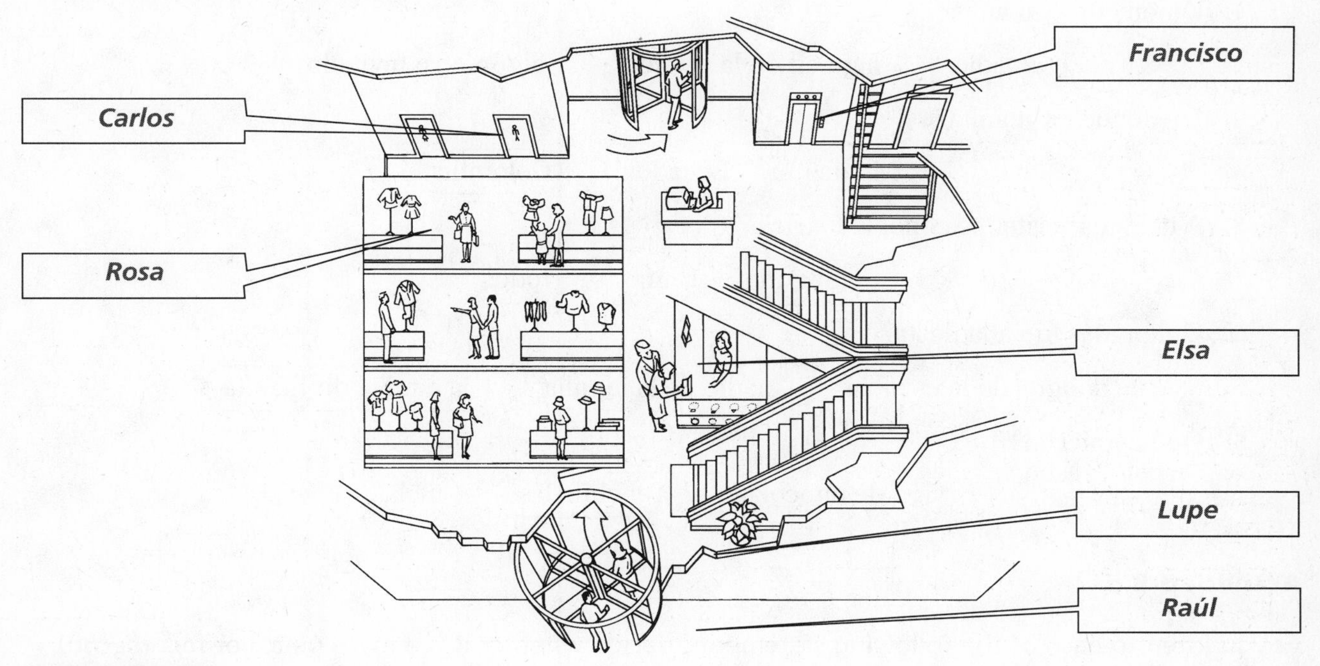

Actividad 8.3

Listen as people ask for directions. As you hear each conversation, determine how the person will get to his or her destination, and put a check mark on the corresponding spot on the grid.

		✔		
			✔	
	✔			
				✔

Nombre ______________________

Fecha ______________________

Actividad 8.4

Since Carolina and Patricia are best friends, Carolina was a bit surprised when Patricia was invited to a party and she wasn't. Read the questions below, and then listen to their conversation about the party. Circle the correct answer from among the three choices given.

1. ¿Quién cumplió años?

(nadie) alguien de la escuela algún otro invitado

2. ¿De dónde es Juanita?

México Ecuador (Colombia)

3. ¿A cuántos invitados conocía Patricia? A . . .

(ninguno) uno todos

4. ¿Quién más fue a la fiesta?

amigos de la escuela nadie de la familia (la familia de Juanita)

5. ¿Qué comieron?

algo de chocolate (enchiladas) nada

Actividad 8.5

As you listen to each of the following statements, decide whether it is a myth *(mito)* or fact *(hecho)*. Place a check mark on the corresponding spot on the grid.

	Mito	Hecho
1.		✔
2.	✔	
3.		✔
4.	✔	
5.		✔
6.		✔

Nombre ______________________

Fecha ______________________

Actividad 9.1

Hector's best friend, Mario, has had an accident. Listen to their phone conversation, and as you hear about Mario's accident, draw a circle around the pictures that refer to his accident and the treatment.

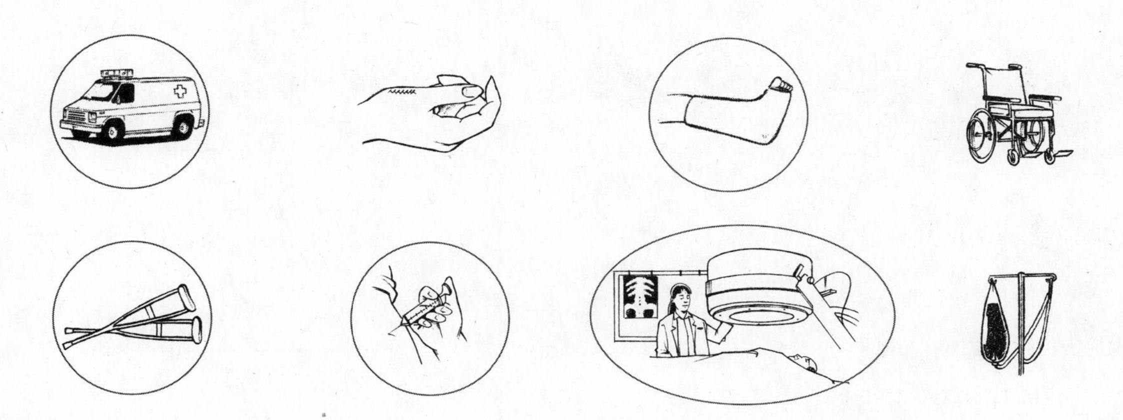

Actividad 9.2

Many people believe that home remedies can provide a cure for just about any ailment. As you listen to the following statements about home remedies, match each ailment to its remedy by placing a check mark on the corresponding spot on the grid.

				Miel
	✔			
				✔
			✔	
		✔		

Nombre ______________________________

Fecha ______________________ Audio Activities

Actividad 9.3

Listen to the following people describe their symptoms to their doctor. Determine what the cause of their ailment might be, and write the number of the statement on the blank under the corresponding picture.

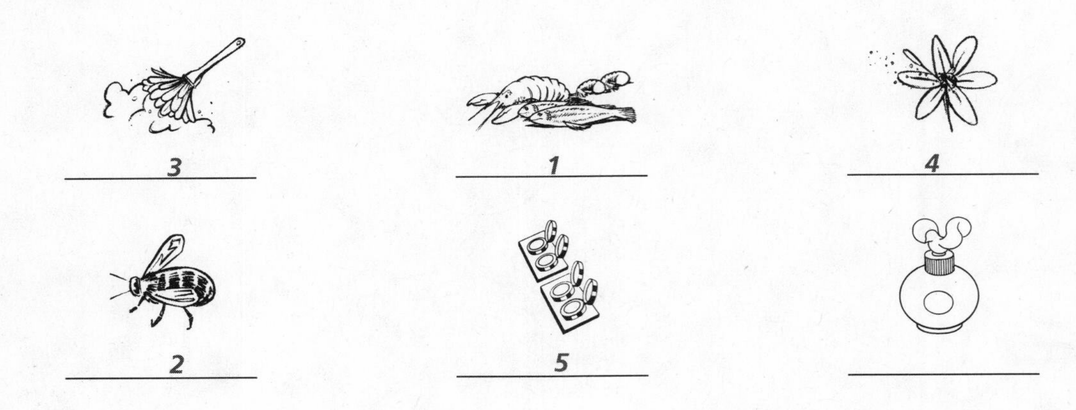

Actividad 9.4

A group of friends was recalling what each was doing when the police arrived at the scene of an accident. Write the number of the statement in the corresponding circle in the picture below.

Nombre ______________________________

Fecha ______________________________

Actividad 9.5

The Martínez family is just about to leave for a family reunion. As they gather a few last-minute items before heading out, indicate where those items can be found by drawing a line from the item to the corresponding spot on the picture.

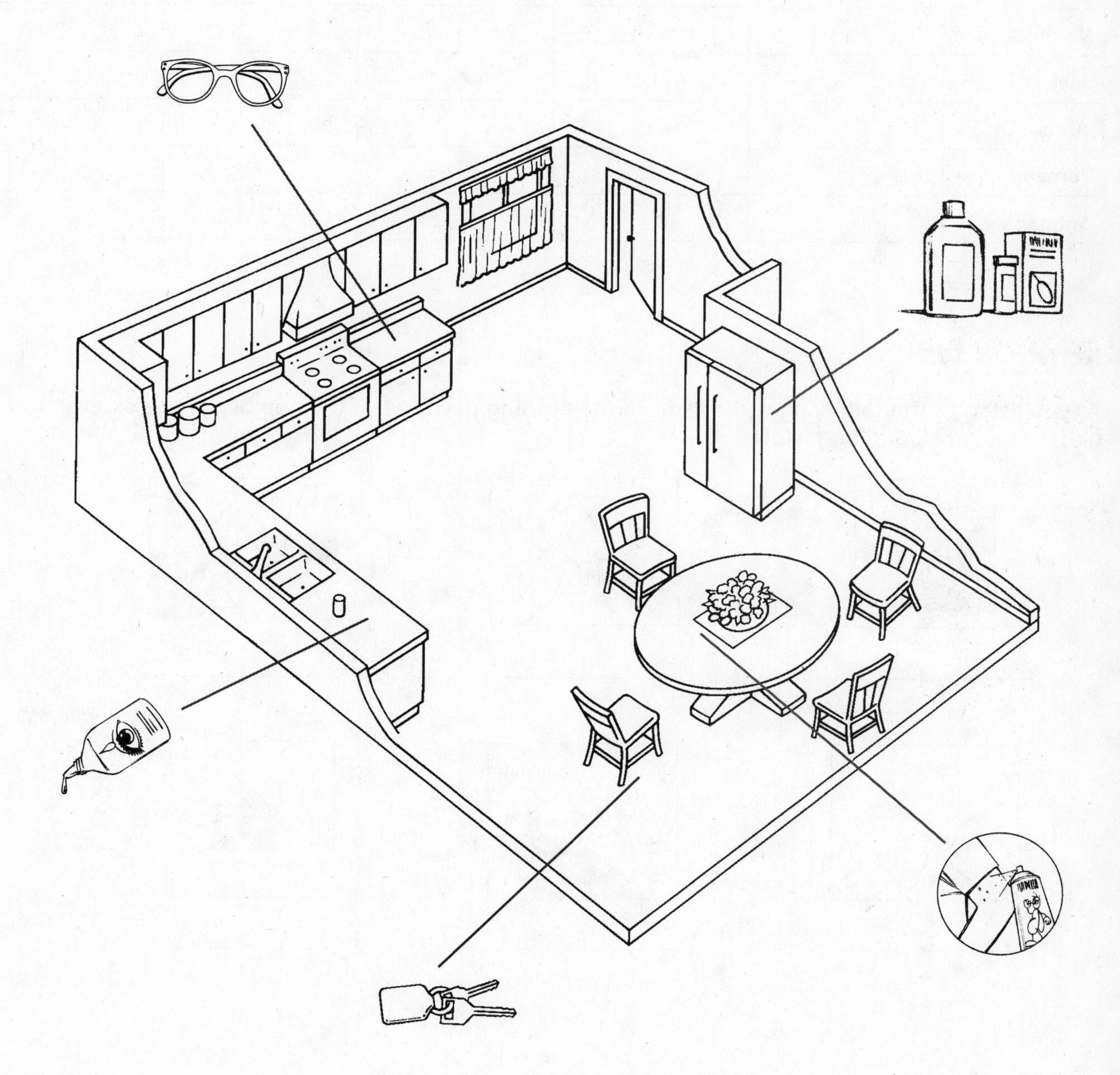

Paso a paso 2

CAPÍTULO 10

Nombre ______________________

Fecha ______________________

Audio Activities

Actividad 10.1

The senior class committee is trying to decide on the cast of a skit being planned for Homecoming. Match the name of the person with his or her role by placing a check mark on the corresponding spot on the grid.

	galán	heroína	detective	criminal	director
Verónica				✔	
Joel			✔		
Antonio					✔
Fernando	✔				
Sofía		✔			

Actividad 10.2

As you listen to the following excerpts from the evening news, write the number of the excerpt under the corresponding picture.

2

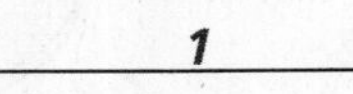

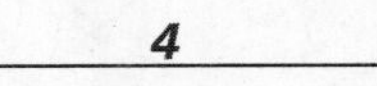

3

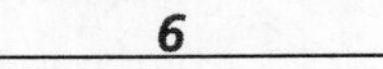

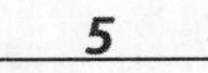

Paso a paso 2

Nombre ______

CAPÍTULO 10

Fecha ______

Audio Activities

Actividad 10.3

Listen to the following descriptions of popular movies. Write the number of the description in the circle by the corresponding name of the movie.

Nombre ______________________

Fecha ______________________

Actividad 10.4

A mild earthquake gave your town quite a scare last night, and everyone is talking about what they were doing when it hit. As you hear each statement, put the number of the statement under the corresponding picture.

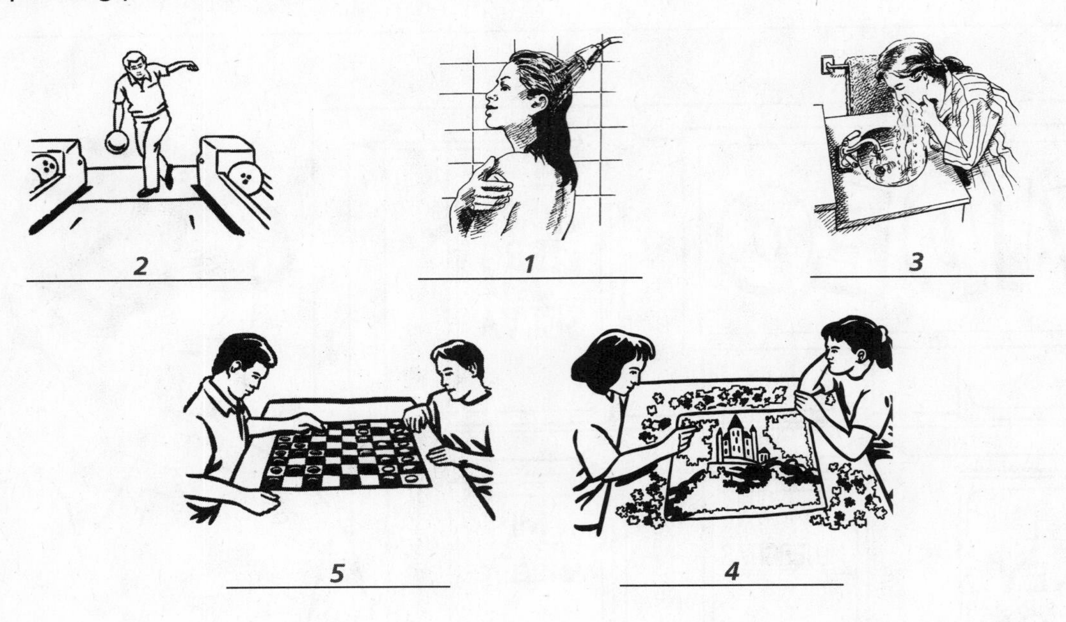

Actividad 10.5

Report cards are out and everyone in class is talking about their parents' reaction to his or her grades. As you listen to each statement, determine whether the reaction was positive *(positiva)* or negative *(negativa)*. Put a check mark in the corresponding spot on the grid.

	Positiva	Negativa
Mario	✔	
Esther		✔
Benjamín		✔
Amanda	✔	
Gregorio	✔	

Paso a paso 2

CAPÍTULO 11

Nombre ______________________________

Fecha ______________________________

Audio Activities

Actividad 11.1

Listen to the following students describe their interests and talents, then match them up with their ideal career by writing the number of the statement under the corresponding picture.

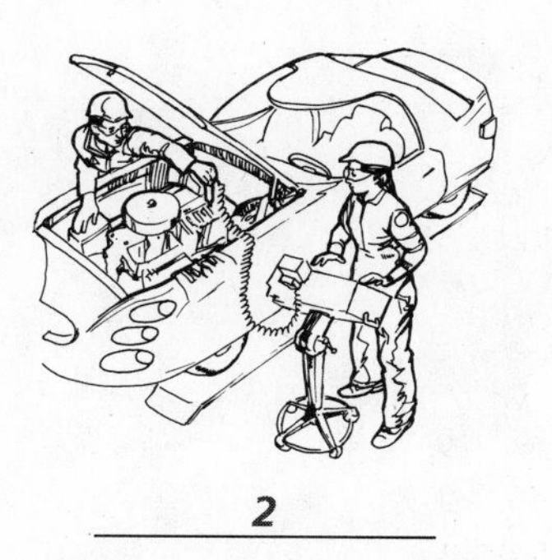

2

3

5

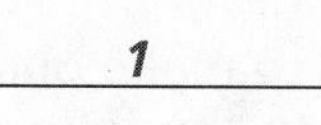

1

6

4

Nombre ____________________

Fecha ____________________

Actividad 11.2

Are you an optimist or a pessimist? As you listen to each of the following statements about the future, determine whether the speaker is an optimist or a pessimist, and place a check mark in the corresponding spot on the grid.

	Optimista	Pesimista
1.	✔	
2.		✔
3.		✔
4.	✔	
5.	✔	
6.	✔	
7.	✔	
8.		✔

Actividad 11.3

A robot can do many things to make our lives more efficient, but there are some things only human beings can do. As you listen to the following statements, determine whether or not the statement can be applied to robots, and place a check mark in the appropriate spot on the grid.

	Un robot puede hacerlo	Un robot no puede hacerlo
1.		✔
2.		✔
3.	✔	
4.	✔	
5.		✔
6.	✔	
7.	✔	
8.		✔

Actividad 11.4

Having a steady boyfriend or girlfriend can have its advantages and disadvantages. As you listen to these teenagers expressing their attitudes about steady dating, determine whether the statement reflects an advantage or disadvantage to dating just one person, and place a check mark in the corresponding spot on the grid.

	Ventaja	Desventaja
1.		✔
2.	✔	
3.		✔
4.		✔
5.	✔	
6.		✔
7.	✔	
8.	✔	

Actividad 11.5

As part of career week at school, four professionals from the community have been invited to speak about their profession. As you hear each presentation, match the speaker to his or her profession by drawing a line from the person's name to the corresponding picture.

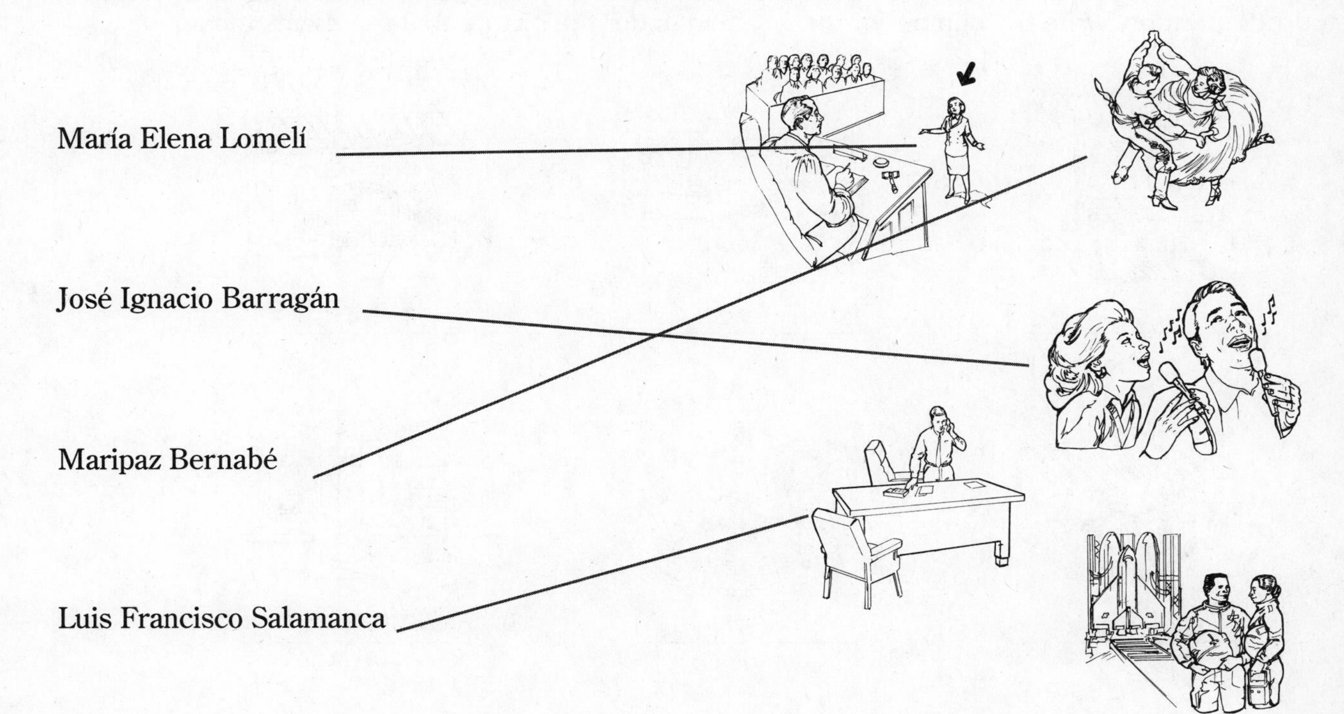

Paso a paso 2 Nombre ____________________

CAPÍTULO 12

Fecha ____________________ Audio Activities

Actividad 12.1

People sometimes encounter difficulties while traveling. As you listen to each of these three people, determine what his or her problem is, and then circle the appropriate answer.

VIAJERO O VIAJERA	PROBLEMA
Sr. Machado	(Tiene que llegar a Caracas antes de las ocho.)
	Tiene que llegar a Caracas a las once.
	Tiene demasiadas maletas.
Sra. Manizales	Su hija no abrochó su cinturón de seguridad.
	(Su hija olvidó su oso de peluche en el avión.)
	La señora olvidó su maleta en el avión.
Sr. Gallardo	Él es un criminal.
	No había aduaneros en la aduana.
	(La línea aérea perdió su maleta.)

Actividad 12.2

Listen as several tourists in Guadalajara request information while vacationing. As you listen to each tourist's question, write the number of the question under the picture that represents the answer.

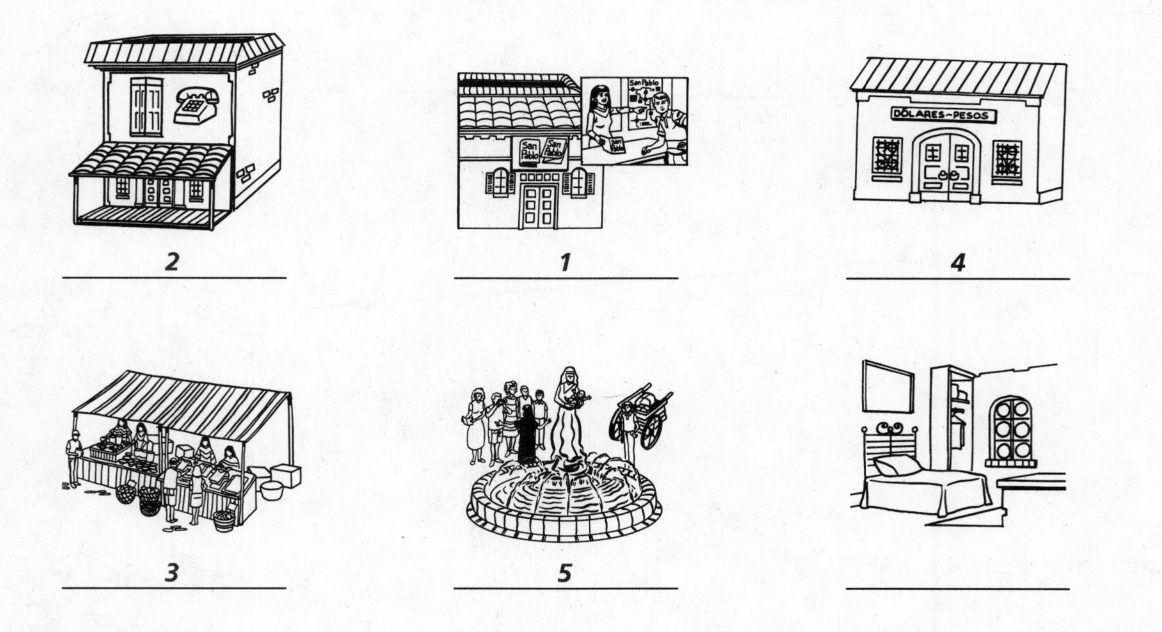

Nombre ______

Fecha ______

Audio Activities

Actividad 12.3

Read the list of features offered by the resort hotel Solimar. As each person mentions the characteristics of his or her ideal vacation, see if the hotel has them. If so, place a check mark in the corresponding box. Then answer the question below the grid.

Hotel Solimar	Sofía	Milly	Vidal
Clima tropical	✔		
Cerca del mar	✔		
Comida buena	✔		
Habitaciones grandes	✔		
Caballos para montar		✔	
Una piscina grande			
Aire acondicionado	✔		
Salón de baile	✔		

¿A quién le gustaría ir de vacaciones al hotel Solimar? *A Sofía*

Actividad 12.4

Listen to the following travel tips. Write the number of the statement under the corresponding picture.

¡No te aburras! Disfruta de la vida venezolana

2 ______ *1* ______ *4* ______

3 ______ ______

Nombre

Fecha

Actividad 12.5

Listen as Carlos describes a trip he took recently to Spain. As you hear his comments about his stay at El Hotel Sevilla, fill out the questionnaire requested by the hotel management.

El Hotel Sevilla

	Excelente	Bueno	Malo
Servicio del hotel		✔	
Limpieza de la habitación	✔		
Calidad de la comida	✔		
Aspecto de áreas públicas			✔

Nombre

Fecha

Actividad 13.1

Sra. Ibarra is planning a homecoming dinner for Álvaro, who has completed his semester abroad. Listen to Sra. Ibarra plan the dinner with her daughter, Araceli. Draw a circle around the items that will be on the menu.

Actividad 13.2

The day of Álvaro's dinner has arrived, and the kitchen is bustling with activity. Listen as the Ibarra family prepares the dinner, and fill in the grid with the information about the potato salad and the fruit salad that will be served.

	Ensalada de papa	Ensalada de frutas
Es perfecta para...	*comer con pollo*	*una dieta baja en grasa*
Primer paso en la preparación	*hervir las papas y los huevos*	*cortar la fruta*
Uno de los ingredientes	Answers may vary, but may include *papas, huevos duros, pimientos verdes, mayonesa, mostaza.*	Answers may vary, but may include *piña, fresas, melón, sandía, uvas.*

Nombre ____________________

Fecha ____________________

Actividad 13.3

Many restaurants in Spain offer a *menú del día*. Listen as a waiter at the Restaurante El Flamingo describes the choices available that night. Within each food category, circle the picture described by the waiter.

TAPAS

VERDURAS

PLATOS PRINCIPALES

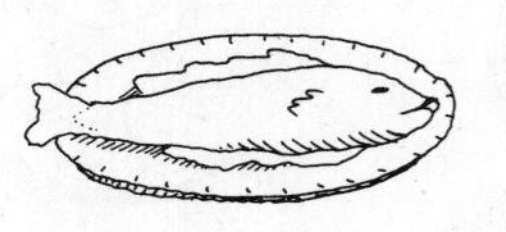

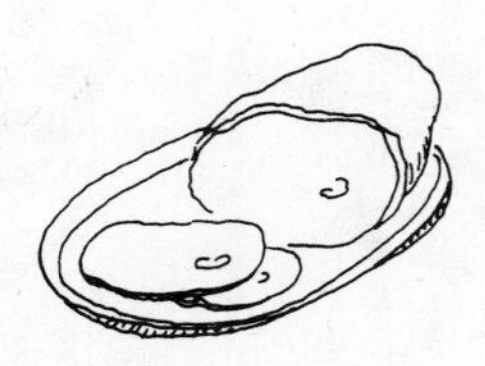

BEBIDAS

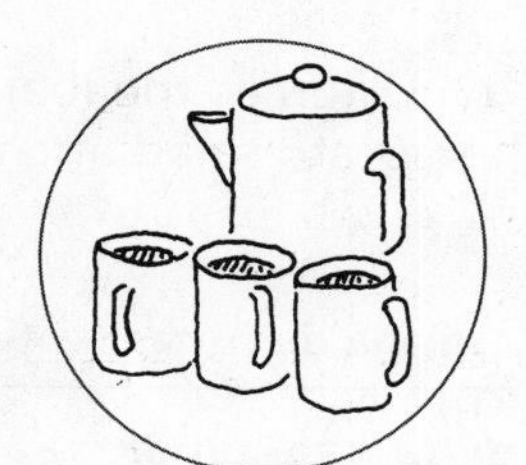

POSTRES

Paso a paso 2

CAPÍTULO 13

Nombre ______

Fecha ______

Audio Activities

Actividad 13.4

Gustavo, who recently moved into his own apartment, is tired of eating canned and frozen food and wants to start cooking his own meals. Listen to his sister Valeria giving him cooking instructions over the phone for various meals. For each conversation, circle the picture of what Gustavo will be cooking.

Actividad 13.5

As part of *Semana Sana* at school, Patricia Bermúdez, a nutritionist, has been invited to speak to your class. As you listen to Patricia answering students' questions, determine whether the following statements are true *(verdadero)* or false *(falso)*, and put a check mark in the corresponding box.

	Verdadero	Falso
1. El cuerpo necesita grasa para mantenerse sano.	✔	
2. La pizza con chorizo contiene mucha grasa.	✔	
3. Según los expertos, es mejor comer tres comidas al día que muchas comidas pequeñas.		✔
4. Para mantenerse sano, es necesario hacer ejercicio por una hora cada día.		✔
5. Una dieta vegetariana puede ser alta en proteína.	✔	

Nombre ______________________

CAPÍTULO 14

Fecha ______________________ Audio Activities

Actividad 14.1

The junior class has gone on a camping trip. As you listen to the scattered converations throughout the campsite, write the number of each conversation under the corresponding picture.

2

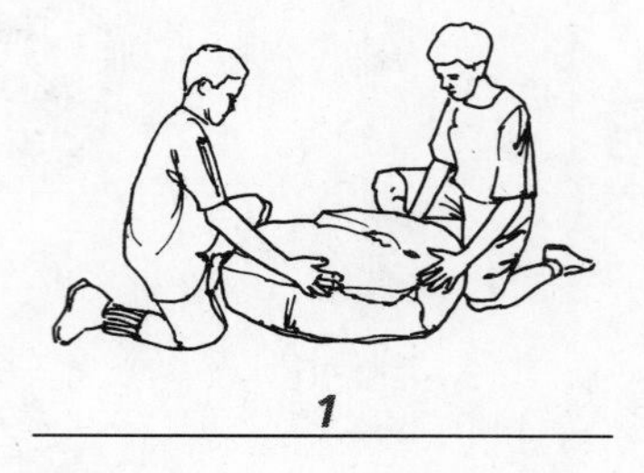

1

4

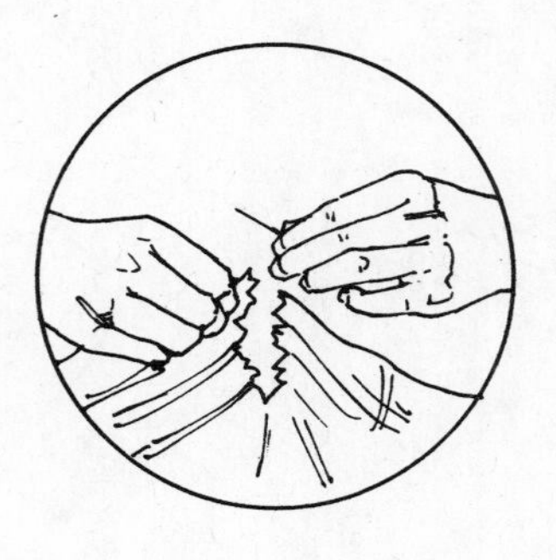

____

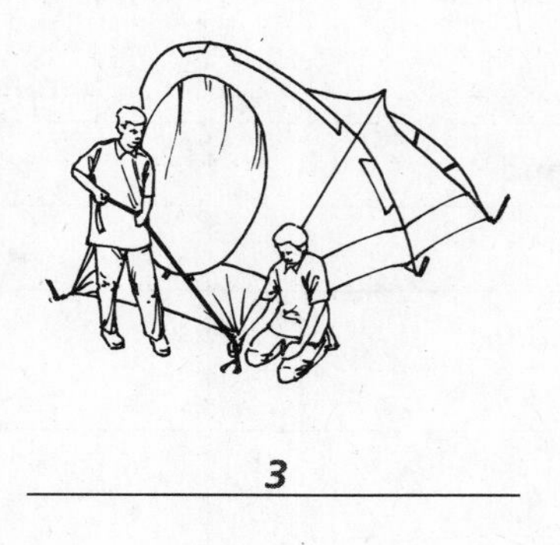

3

Actividad 14.2

Listen to these radio advertisements for two different vacation spots. As you listen to the features offered at each place, place the number of the advertisement under the corresponding pictures.

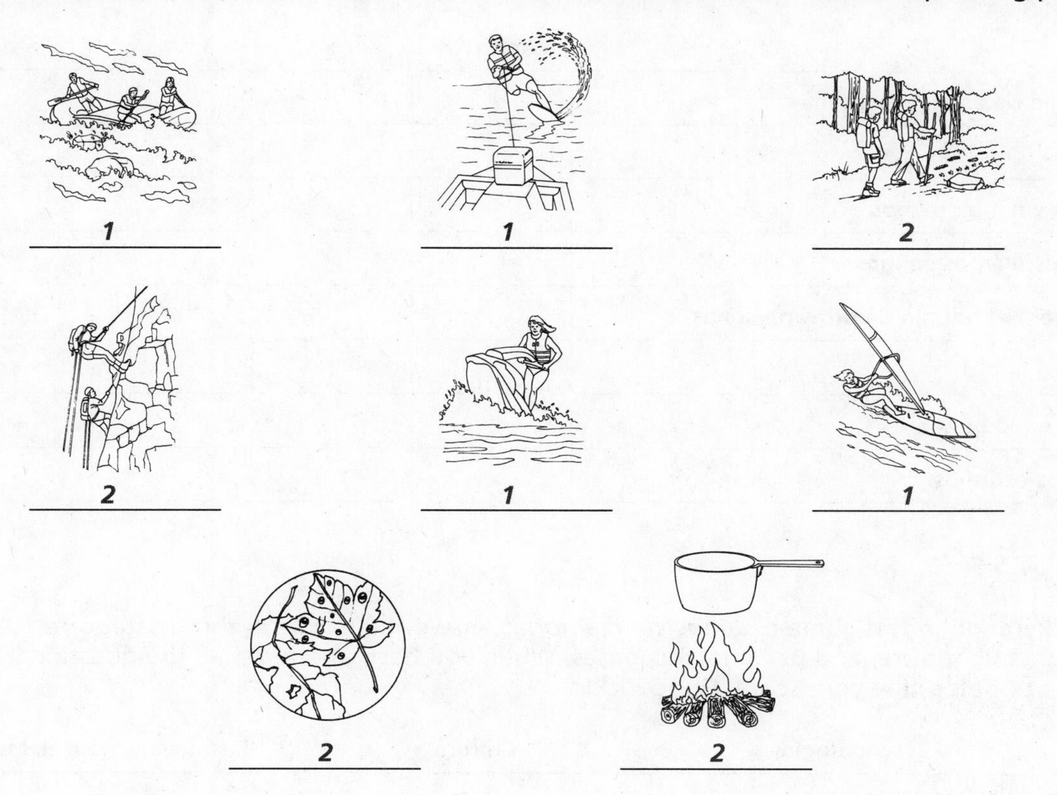

Actividad 14.3

Try your hand at animal trivia! Which animal lives the longest? What is the most popular name for dogs in the United States? Listen to the following questions and write your answers in the grid below.

1. *la ballena*	5. *la ardilla*
2. *los pájaros*	6. *King*
3. *la serpiente tigre*	7. *los ojos*
4. *el caballo*	

Nombre

Fecha

Actividad 14.4

A few graduating seniors have dedicated some messages to the first- and second-year classes. Match each senior with his or her message by placing a check mark in the corresponding box.

	Anita	Jorge	Lisa	Beto
no tener miedo de escalar montañas	✔			
ser optimista				✔
escuchar más y hablar menos		✔		
conservar a los buenos amigos		✔		
hacer más ligero el trabajo de otras personas			✔	
pedir ayuda			✔	
concentrarse en lo bueno				✔
dedicarse a los estudios	✔			

Actividad 14.5

See how well you do in this game of *Juego de memoria*. Answer questions in three categories: word analogies, Hispanic culture, and personal responses. When you have answered all the questions, add up the points to determine your score. Good luck!

	Analogías	Cultura	Respuestas Personales
10 puntos	**1.** *agua*	**2.** *la peseta*	**3.** *Answers will vary.*
25 puntos	**4.** *un hospital*	**5.** *artistas famosos de México*	**6.** *Answers will vary.*
50 puntos	**7.** *una graduación*	**8.** *los carnavales*	**9.** *Answers will vary.*

Canciones

Songs in the Spanish language are as varied as the people who speak Spanish. The cultures of Spain, the Americas, and Africa (and all their combinations) provide the basis for most Spanish-language folk songs, while modern songs are often a mixture of folk music with newer styles from the Americas and the world.

In “Cuento del mundo,” a modern song from Bolivia, Spanish-influenced melodies are accompanied by indigenous instruments and jazz guitar chords.

1 CUENTO DEL MUNDO

Yo le contaba del mundo
del mundo y su alrededor,
de su misterio profundo, de su forma y su extensión. (última línea 2x)

De sus llanuras inmensas,
de su aurora de arrebol,
de sus aves, de sus fieras, de su luna y de su sol. (2x)

(Estribillo):
“¿De qué color es el mundo?”
la sombra pregunta.
“Justo del color que quiera pintarle tu corazón.” (2x)

Yo le contaba del mundo,
de su sentido y razón,
de lo que parece absurdo y no tiene explicación. (2x)

De su calor, de su frío,
de su silencio y su voz,
de su camino infinito, de su dicha y su dolor. (2x)

(Estribillo)

"Canción mixteca" is a traditional Mexican expression of nostalgia for home. The music is in a triple rhythm typical of *rancheras* (ranch songs), which are frequently interpreted by *mariachi* bands.

2 CANCIÓN MIXTECA

¡Qué lejos estoy del suelo donde he nacido!
¡Qué inmensa nostalgia invade mi pensamiento!
Y al verme tan solo y triste, cual hoja al viento,
quisiera llorar, quisiera morir, de sentimiento.

¡Oh tierra del sol, suspiro por verte!
Ahora qué lejos yo vivo sin luz, sin amor.
Y al verme tan solo y triste, cual hoja al viento,
quisiera llorar, quisiera morir, de sentimiento.

Canción jíbara refers to the musical tradition of Puerto Rico's inland farmers, or *jíbaros.* Central to this musical style is the *cuatro,* an instrument descended from the Spanish mandolin which originally had four *(cuatro)* pairs of strings and now has five. This song is about the singer's beloved *cuatrito.*

3 MI CUATRITO

Yo tengo un cuatrito que canta clarito,
como ruiseñores que cantan muy bien.
Lo dulce responde con voz melodiosa;
me canta las cosas de mi Borinquén.

A tiempo remoto lo llevo conmigo
y es muy buen testigo de mis amorillos.
Con él he cantado a seres queridos,
y me ha divertido en horas de asilo.

Con él he gozado; con él he sufrido.
Con él he pasado miles sinsabores.
Oh dulce cuatrito, buen compañerito
testigo de todos mis viejos amores.

Oh dulce cuatrito, cántale a mi amada,
la fiera dorada de mi corazón.
Conmigo y con ella viviré la vida
hasta la partida, la eterna mansión.

The original instruments used in music from South America were all wind or percussion instruments, such as the *zampoña* (pan-pipe), the *quena* (bamboo or wooden flute), the *bombo* (a large hide drum), and a variety of shakers and rasps. Stringed instruments such as the guitar and the violin arrived with the Spaniards, and the indigenous peoples began to use these instruments and construct their own as well. The *charango,* a small stringed instrument originally crafted from the shell of an armadillo, can be heard in this song along with the *zampoñas,* the *quena,* and the *bombo.*

"La mariposa" is a folk song from Bolivia in the African-influenced rhythm called *morenada.*

4 LA MARIPOSA

Vamos todos a cantar,
vamos todos a bailar
la morenada.
(2x)

Con los tacos,
con las manos.
¡Viva la fiesta!
(2x)

"Guantanamera," a well-known song throughout the Americas and other parts of the world, is based on a poem by Cuban-born writer José Martí. The title and chorus refer to a *guajira guantanamera,* a young woman from Guantánamo. The music is influenced by Spanish melodies and African rhythms.

5 GUANTANAMERA

(Estribillo):
Guantanamera, guajira guantanamera.
Guantanamera, guajira guantanamera.

Yo soy un hombre sincero
de donde crece la palma.
Yo soy un hombre sincero
de donde crece la palma.
Y antes de morirme quiero
echar los versos del alma.

Mi verso es de un verde claro
y de un carmín encendido.
Mi verso es de un verde claro
y de un carmín encendido.
Mi verso es un ciervo herido
que busca en el monte amparo.

(Estribillo)

Con los pobres de mi tierra
quiero yo mi suerte echar.
Con los pobres de mi tierra
quiero yo mi suerte echar.
El arroyo de la sierra
me complace más que el mar.

(Estribillo)

In this traditional Spanish song, bullfighters ask for the protection of San Fermín before entering the ring.

6 A SAN FERMÍN PEDIMOS

A San Fermín pedimos
por ser nuestro patrón,
que nos proteja en el encierro
y que nos dé su bendición.

This lively song from Spain counts the days until *San Fermín,* the festival of the Running of the Bulls in Pamplona. In this version, the song is arranged in a *salsa* style.

7 UNO DE ENERO

Uno de enero, dos de febrero,
tres de marzo, cuatro de abril,
cinco de mayo, seis de junio,
siete de julio, San Fermín.
(2x)

A Pamplona hemos de ir,
con una media, con una media.
A Pamplona hemos de ir,
con una media y un calcetín.

The Puerto Rican song genre called the *plena / aguinaldo* is a combination of the *plena,* an African-influenced song and dance form, and the *aguinaldo,* a song form of Spanish origin sung during the Christmas holidays. Instruments used are the *cuatro* (a typical Puerto Rican stringed instrument), the *panderetas* (hand-held drums shaped like tambourines, without the jingles), and the *güiro* (a gourd made into a rasp, played with a carved stick or a metal hair-pick).

"La fiesta campesina" is a *plena / aguinaldo* performed in this version by a cross-generational group of Puerto Ricans who came together in New York.

8 LA FIESTA CAMPESINA

Me invitaron a una fiesta campesina de verdad. (2x)
Me invitaron unos amigos. ¡Qué alegría me da! (2x)

(Estribillo):

Me invitaron a una fiesta campesina de verdad (2x)
Me invitaron unos amigos. ¡Qué alegría me da! (2x)
Ah-ah-ah, ah-ah-ah.

Que yo vengo de muy lejos, que yo vengo aquí a cantar (2x)
las canciones de Navidades y a felicitar. (2x)

(Estribillo)

Tócame la pandereta, que les voy a improvisar (2x)
aguinaldos de Navidades para celebrar. (2x)

(Estribillo)

Los pleneros me acompañan y ellos sí se alegrarán (2x)
de llevarle tremenda tuya esta Navidad. (2x)

(Estribillo)

The *tango* is one of the best-known Latin American urban song/dance forms. It began in Buenos Aires, Argentina at the beginning of this century and today is played and danced in countries all over the world. Although this version of the *tango* "Adiós muchachos" is performed by a guitarist, *tangos* are often played on the piano or the *bandoneón,* an accordion-like instrument.

9 ADIÓS MUCHACHOS

Adiós muchachos compañeros de mi vida,
barra querida, de aquellos tiempos.
Me toca a mí hoy emprender la retirada,
debo alejarme de mi buena muchachada.

Adiós, muchachos,
ya me voy y me resigno,
contra el destino nadie la talla.
Se terminaron para mí todas las farras.
Mi cuerpo enfermo no resiste más.

Dos lágrimas sinceras
derramo en mi partida
por la barra querida
que nunca me olvidó.
Y al darle a mis amigos
mi adiós postrero
les doy con toda el alma
mi bendición.

(Se repiten las primeras dos estrofas.)

The Cuban song "Quiéreme mucho" is a *bolero,* a romantic musical form which is popular throughout Latin America both for singing and for slow dancing. *Boleros* are often sung directly to a loved one, accompanied by one or more guitars.

10 QUIÉREME MUCHO

Quiéreme mucho, dulce amor mío,
que amante siempre te adoraré.
Yo con tus besos y tus caricias
mis sufrimientos acallaré.

Cuando se quiere de veras,
como te quiero yo a ti,
es imposible, mi cielo,
tan separados vivir.

This internationally popular Mexican song is a favorite of *mariachi* bands. Like many *rancheras,* it has a triple rhythm and a three-chord musical structure.

11 CIELITO LINDO

(Estribillo):
¡Ay, ay, ay, ay!
canta y no llores,
porque cantando se alegran,
cielito lindo, los corazones.

De la sierra morena,
cielito lindo, vienen bajando
un par de ojitos negros,
cielito lindo, de contrabando.

(Estribillo)

Una flecha en el aire,
cielito lindo, lanzó Cupido,
y como fue jugando,
cielito lindo, yo fui el herido.

(Estribillo)

Pájaro que abandona,
cielito lindo, su primer nido,
si lo encuentra ocupado,
cielito lindo, ¡bien merecido!

(Estribillo)

The *Nueva Canción* movement in Latin America was born of the struggles of people working together for a better society. “Sólo le pido a Dios” is a song in the *Nueva Canción* tradition from Argentina.

12 SÓLO LE PIDO A DIOS

Sólo le pido a Dios que el dolor no me sea indiferente,
que la reseca muerte no me encuentre
vacía y sola sin haber hecho lo suficiente.

Sólo le pido a Dios que lo injusto no me sea indiferente,
que no me abofeteen la otra mejilla
después de que una garra me arañó esa suerte.

Sólo le pido a Dios que la guerra no me sea indiferente.
Es un monstruo grande y pisa fuerte
toda la pobre inocencia de la gente.

Sólo le pido a Dios que el engaño no me sea indiferente;
si un traidor puede más que unos cuantos,
que esos cuantos no lo olviden fácilmente.

Sólo le pido a Dios que el futuro no me sea indiferente.
Desahuciado está el que tiene que marchar
a vivir una cultura diferente.

A Nicaraguan brother-and-sister duo sing this song about loving the earth and caring for the environment.

13 DÍAS DE AMAR

Vienen ya días de amar
La casa que habitas
Días de amar la tierra vegetal
Flor y animal
Vienen ya ríos con agua sin envenenar
Agua que beben los que tienen sed
Igual que usted
Vienen ya bosques pulmones de la gran ciudad
Selvas que aroman en la oscuridad Noches de paz
Que hacían falta a la humanidad

No es natural
Que en el planeta tanto ande mal
Que el hombre agreda al hombre
Que el hombre agreda al animal, al vegetal

Se oyen ya loras gritando a gran velocidad
Niños jugando con felicidad
Vuelvo a su edad
Pasan ya cosas que alegran a la humanidad
Aires que huelen como a Navidad en igualdad
Que hacían falta a la humanidad

No es natural
Que en el planeta tanto ande mal
Que el hombre agreda al hombre
Que el hombre agreda al animal, al vegetal

Vienen ya días de amar
El mundo que habitas
Días de amar la tierra vegetal
Flor y animal

"María Isabel" is a traditional Caribbean song arranged in this version with a *mambo* beat.

14 MARÍA ISABEL

La playa estaba desierta
el mar bañaba tu piel
cantando con mi guitarra
para ti, María Isabel.
(2x)

(Estribillo):
Toma tu sombrero y póntelo;
vamos a la playa, calienta el sol.

Chiri biri bi, po rom pom pom. (4x)

En la arena escribí tu nombre
y luego yo lo borré
para que nadie pisara
tu nombre: María Isabel.

(Estribillo)

La luna fue caminando,
bajo las olas del mar;
tenía celos de tus ojos
y tu forma de mirar.

(Estribillo)

Video Activities

Nombre ______

Fecha ______

Video Activities

A Introducción

¡Bienvenidos a *La Catrina*!

1. En esta parte del video, vas a conocer a Jamie, una estudiante que vive en Los Ángeles. Está en su dormitorio. ¿Cómo es tu dormitorio? ¿Viven tus parientes contigo? ¿Cómo son ellos?

   Answers will vary.

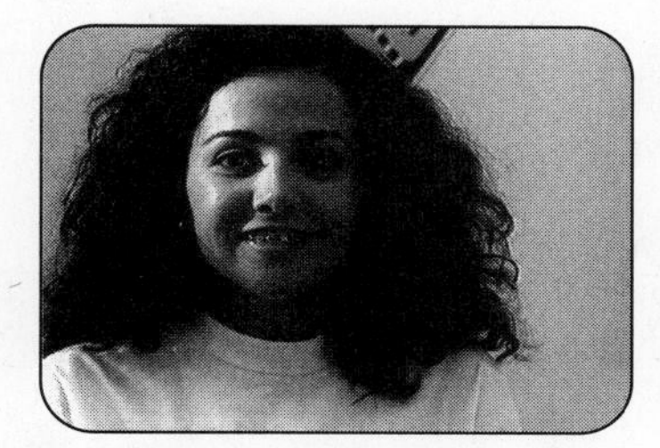

2. ¿De qué habla Jamie en su dormitorio? Escribe tres cosas.

   Answers may include: Habla de su familia, de sus estudios, de su viaje a Querétaro en el verano y de su bisabuela.

B Episodio 1

1. En esta parte, vas a ver a Jamie y su compañero de clase, Felipe. Primero, están en la escuela. ¿Cómo es tu escuela? ¿Dónde está? ¿Qué haces después de las clases? ¿Cuáles son tus actividades favoritas?

   Answers will vary.

2. Vemos a Carlos en Querétaro con su familia. Cuando están en el coche, ¿qué dice Carlos que indica que no quiere tener un invitado en su casa?

   Mi dormitorio es muy pequeño.

Nombre ______________________

Fecha ______________________

3. ¿De qué hablan Jamie y Felipe en el tren? (Circle as many as apply.)

   a. De la escuela en Los Ángeles.

   (b.) De la bisabuela de Jamie.

   (c.) De hablar en español solamente.

   d. De Santana.

4. Explica la reacción de los padres de Carlos cuando ven a Jamie.

   Answers may vary but could include: Están muy sorprendidos porque pensaron que Jamie era un muchacho.

5. ¿Tiene Carlos la misma reacción? Explica.

   Carlos también está sorprendido, pero contento.

C Para entender mejor

1. Imagina que tú eres Jamie. ¿Cómo le explicas a Felipe quién es La Catrina?

   Answers may include: "Catrina" quiere decir una mujer rica. En la historia, La Catrina es también la bisabuela de Jamie. Era una mujer rica quien ayudó a los pobres.

2. ¿Quiénes son Santana y Demetrio?

   Santana es un espía; Demetrio es un bibliotecario.

Nombre ______________________

Fecha ______________________

A ¿Recuerdas?

1. ¿Qué noticias tiene Santana para Demetrio cuando hablan por teléfono?

Santana le dice a Demetrio que Jamie ya está en Querétaro.

B Episodio 2

1. Cuando Carlos y Jamie están en el dormitorio de él, ¿qué cosas ves que puedes usar para describirlo? (Escribe tres cosas.)

Answers may include: Fotos, unos carteles, un reloj, libros, una guitarra.

2. ¿Qué problema tiene Carlos cuando escucha y responde al mensaje de María en el contestador de teléfonos?

a. María no puede ir a la escuela.

(b.) María cree que Jamie es un muchacho.

c. María cree que Jamie es una persona interesante.

3. ¿Qué problema tienen los padres de Carlos? ¿Cómo lo solucionan?

Ellos piensan que Jamie no puede vivir con ellos. Deciden que Jamie debe ir a la casa de sus amigos, los Linares.

4. ¿Qué clases tiene María? Menciona tres.

Answers may include: inglés, historia, geografía, matemáticas, literatura.

5. ¿Qué hace María los fines de semana y qué haces tú?

Va a fiestas, al cine y a bailar. Answers will vary.

6. ¿Qué dice Santana a Demetrio y por qué dice Demetrio, "lo sabía"?

Santana dice que él sigue a Jamie por todos lados y que ella quiere saber más de su bisabuela. Demetrio dice "lo sabía" porque la bisabuela es La Catrina.

C Para entender mejor

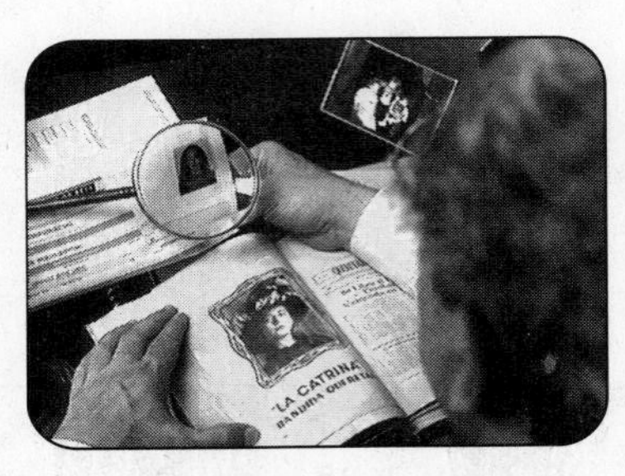

1. ¿Qué hace Santana para Demetrio? ¿Quién es Demetrio y qué hace?

Santana es un detective y trabaja para Demetrio; sigue a Jamie para ver qué hace. Demetrio es el director de la biblioteca en Querétaro y conoce la historia de la bisabuela de Jamie.

2. Al final del episodio, Silvestre pasa por la casa de María Linares. En tu opinion, ¿por qué fue él a la casa?

Answers may vary but could include: Silvestre quiere saber dónde vive Jamie.

3. ¿Qué crees que va a pasar entre Jamie y María? ¿Y entre Carlos y las dos muchachas? Habla con un(a) compañero(a) sobre esto.

Answers will vary.

Nombre ______

Fecha ______

A ¿Recuerdas?

1. ¿Por qué está Jamie en Querétaro? Escribe dos razones.

Answers should include: Está allí para practicar español y aprender más sobre su bisabuela.

B Episodio 3

1. ¿Qué comida pide Jamie? ¿Cómo es?

Chilaquiles. Son tortillas fritas con pollo, queso, cebolla, crema, salsa verde o roja, y los sirven con frijoles.

2. ¿Qué representa la figura que está en el restaurante El Arcángel?

Es el ángel del bien y del mal.

3. En tu opinión, ¿quién envió el fax y por qué lo envió?

Answers may vary but could include: Silvestre, porque él está interesado en saber dónde vive Jamie; Demetrio, porque él sabe mucho sobre La Catrina.

4. ¿Qué aprenden Jamie y Carlos en la tienda de antigüedades?

Aprenden más sobre La Catrina y también descubren una foto antigua de la bisabuela de Jamie. El propietario de la tienda dice que Jamie debe hablar con Demetrio Alcocer, el bibliotecario.

5. Jamie y Carlos van a una tienda de ropa para:

a. comparar las tallas de ropa mexicana y norteamericana.

b. hablar con la vendedora sobre ropa típica.

c. buscar ropa mexicana tradicional. (circled)

Nombre ______

Fecha ______

6. ¿Quiénes están en el Hotel La Jacaranda y por qué están allí?

Don Silvestre y sus guardaespaldas. Están allí para hablar de Jamie.

C Para entender mejor

1. ¿Qué es un testamento?

Es un documento de una persona que deja todas sus cosas a su familia o amigos.

2. ¿Por qué tiene Silvestre interés en el testamento de doña Josefa?

Porque el testamento dice que Jamie es la dueña verdadera de las tierras y del hotel de Silvestre.

3. ¿Crees que Silvestre es un buen candidato político? ¿Por qué?

Answers will vary.

4. En grupo, discutan qué va a pasar en el próximo episodio. Escriban cinco eventos que pueden pasar.

Answers will vary.

Nombre ____________________

Fecha ____________________

Video Activities

A ¿Recuerdas?

1. ¿Qué pasó cuando Jamie fue a la tienda de antigüedades? ¿Por qué sigue Silvestre a ella en Querétaro?

Jamie descubre una foto de su bisabuela. También le dicen que debe hablar con Demetrio Alcocer. Silvestre sigue a Jamie porque sabe que ella puede ser una amenaza y él puede perder todas sus propiedades.

B Episodio 4

1. ¿De qué hablan Demetrio y Silvestre por teléfono? ¿Qué le puede pasar a Demetrio?

Demetrio le dice que sabe que el dinero que tiene Silvestre es de doña Josefa de González, la bisabuela de Jamie. Él quiere decir la verdad, pero Silvestre le recuerda que puede perder su pensión si lo hace.

2. ¿Quién es el joven que Jamie encuentra en la biblioteca?

(a.) Es un asistente de Demetrio.

b. Es el bibliotecario de Querétaro.

c. Es un asistente de Silvestre.

3. ¿Por qué está Jamie en la oficina de Demetrio?

Jamie quiere buscar más información sobre su bisabuela.

4. ¿Por qué crees que Demetrio no dice a Jamie que él tiene más información?

Answers may vary but could include: Porque no sabe qué hacer, después de su conversación con Silvestre. No quiere perder su pensión.

5. ¿Cómo se divierten María, Felipe y Jamie? ¿Cómo te diviertes tú durante tu tiempo libre?

Ellos van a nadar a la piscina. Answers will vary.

6. ¿Adónde invita María a Felipe esa noche?

A una fiesta de bienvenida para los estudiantes extranjeros.

C Para entender mejor

1. En grupo, discutan el dilema de Demetrio. Escribe tres eventos que pueden ocurrir en el próximo episodio.

Answers will vary.

2. ¿Qué va a pasar si Jamie es la heredera de la Hacienda La Jacaranda y el Hotel La Jacaranda? Escribe tres cosas y después habla de tu respuesta con otro(a) estudiante. Escribe un resumen de sus respuestas y léelo a la clase.

Answers will vary.

3. Silvestre es un hombre importante y poderoso en Querétaro. Él puede perder todo, su propiedad y su campaña política. En tu opinión, ¿qué va a hacer él en el futuro?

Answers will vary.

Paso a paso 2 Nombre ____________________

CAPÍTULO 5

Fecha ____________________ Video Activities

A ¿Recuerdas?

1. ¿Qué tiene que decidir Demetrio?

Tiene que decidir si ayudar a Jamie y tal vez perder su pensión, o no decir nada y ayudar a Silvestre.

B Episodio 5

1. Cuando empieza el episodio, ¿qué problema tiene Carlos?

Él quiere ir a la fiesta en la universidad, pero su padre dice que Carlos debe ayudar en el restaurante porque los padres tienen que ir a una reunión.

2. Según el padre, Tomás, ¿por qué está preocupado (*worried*) Carlos? ¿Qué problema va a tener Querétaro en siete años?

Carlos está preocupado por los pájaros y los cambios de clima. Querétaro no va a tener agua en siete años.

3. En la fiesta, María y Felipe hablan de cuando eran niños. ¿Cuál de estas frases es cierta?

a. Felipe no se portaba bien y María era una malcriada.

b. María obedecía a sus padres, pero Felipe lloraba siempre.

(c.) Felipe no molestaba a nadie, pero María molestaba a todos.

4. ¿Qué deciden hacer todos cuando Carlos no aparece en la fiesta?

Deciden ir al restaurante a ver a Carlos.

5. ¿Qué mensaje recibe Jamie en el Arcángel? ¿De quién?

Jamie recibe un mensaje de Rogelio. El mensaje dice que la información que ella busca está en el libro Relato Histórico de Querétaro.

6. ¿Qué dice la información del libro en la página 94?

Dice que doña Josefa de González era una mujer muy valiente durante la Revolución mexicana. Ella robaba a los ricos para dar a los pobres. La gente la admiraba, pero alguien la traicionó.

C Para entender mejor

1. Carlos está preocupado por la ecología. ¿Qué piensa su padre de esto?

Answers may vary but could include: Su padre piensa que el restaurante es más importante que los pájaros o el medio ambiente.

2. ¿Qué te preocupa y por qué crees que es importante?

Answers will vary.

3. ¿Qué crees que le va a pasar a Jamie después de recibir el mensaje?

Answers will vary.

4. Habla con dos compañeros(as) sobre historias o leyendas parecidas a la de doña Josefa de González, La Catrina. ¿Conocen Uds. otras historias parecidas? ¿De qué otras regiones o países son?

Answers will vary. Possible answer: Robin Hood, from England.

Paso a paso 2 Nombre ______

CAPÍTULO 6

Fecha ______ Video Activities

A ¿Recuerdas?

1. ¿Por qué es importante el mensaje que recibió Jamie en El Arcángel?

Es importante porque dice a Jamie dónde debe buscar más información sobre su bisabuela, La Catrina.

B Episodio 6

1. ¿Adónde van María y Susana? ¿Qué es un chaperón (una chaperona)?

Van a una discoteca. Answers may vary: Los chaperones son personas mayores que acompañan a las jóvenes cuando van a fiestas u otros lugares.

2. ¿De dónde es Susana? ¿Cuánto hace que ella vive en Querétaro?

Es de España. Hace dos años que vive allí.

3. En el Episodio 4, Felipe sabía nadar muy bien. ¿Qué talento tiene él en este episodio?

Sabe bailar bien.

4. ¿De qué hablan Carlos y María?

Hablan de las amistades que tiene Carlos con Jamie y María con Felipe, y lo que va a pasar después del verano cuando Jamie y Felipe vuelvan a Estados Unidos.

5. ¿Qué es Operación Aztlán?

Es una organización que trata con problemas ecológicos.

6. ¿Qué información tiene la carta de la niña?

La carta dice que en la Hacienda La Jacaranda, están usando insecticidas que afectan la salud de los trabajadores y las verduras que se venden en el mercado están contaminadas.

7. Según Silvia, ¿por qué no pueden hacer nada las autoridades?

a. Porque la salud de los trabajadores es responsabilidad de Operación Aztlán.

(**b.**) Porque los trabajadores tienen miedo de ir a las autoridades.

c. Porque la Hacienda La Jacaranda vende muchos productos.

C Para entender mejor

1. ¿Qué problemas causan los insecticidas?

Answers may vary but should include: Afectan la salud de los trabajadores en la Hacienda La Jacaranda y las frutas y verduras que se venden en el mercado están contaminadas. Pueden enfermar a las personas que comen esos productos.

2. ¿Qué quiere hacer Carlos con la información?

Quiere ir a las autoridades, a las oficinas de salud.

3. ¿Cuál es el problema de los campesinos?

Se están enfermando a causa de los insecticidas, pero nadie quiere decir nada a las autoridades porque tienen miedo de don Silvestre y de perder sus trabajos.

4. Imagina que tú eres Carlos. ¿Qué haces con la información de la carta?

Answers will vary.

Nombre ______

Fecha ______

A ¿Recuerdas?

1. ¿Qué información contenía la carta y por qué quiere ir Carlos al Centro de Salud?

La carta decía que los insecticidas usados en la Hacienda La Jacaranda están enfermando a los trabajadores y contaminando las frutas y legumbres que se producen allí.

B Episodio 7

1. ¿Por qué invita Carlos a Jamie a ir al mercado?

Porque necesitan frutas y verduras en el restaurante. Pero en realidad Carlos quiere investigar los productos de la Hacienda La Jacaranda.

2. ¿Por qué crees que compran productos en diferentes lugares?

Answers may vary but should include: Porque quieren hablar con los vendedores acerca de los productos de La Jacaranda y comparar sus respuestas.

3. ¿Por qué van a la universidad después? ¿Qué va a hacer la profesora, Blanquita Maldonado?

Llevan la fruta al laboratorio de la universidad. La profesora va a examinar los elotes que compró Jamie para ver si están contaminados.

Nombre ______

Fecha ______

4. ¿Qué hacen Carlos y Jamie después?

Van a las oficinas de salud de la ciudad.

5. ¿Por qué no hace nada el Centro de Salud con las quejas contra la Hacienda La Jacaranda?

Porque el Centro no puede encontrar a la propietaria de la hacienda . . . La Catrina.

C Para entender mejor

1. ¿Quién era la dueña (*owner*) de la Hacienda La Jacaranda? ¿Por qué crees que eso es importante en esta historia?

Doña Josefa de González, La Catrina. Answers will vary but could include: Porque si doña Josefa es la dueña verdadera, entonces Jamie es su heredera.

2. En tu opinión, ¿qué van a hacer Carlos y Operación Aztlán? Compara tu opinión con las de otros(as) compañeros(as).

Answers will vary.

3. Si Jamie es la heredera de doña Josefa, ¿qué crees que puede hacer ella para reclamar la herencia (*inheritance*)?

Answers will vary.

Paso a paso 2

CAPÍTULO 8

Nombre ______

Fecha ______

Video Activities

A ¿Recuerdas?

1. ¿Qué hace Carlos con el problema del uso de los pesticidas ilegales en la Hacienda La Jacaranda?

Carlos decide ir al mercado con Jamie para comprar productos de La Jacaranda y llevarlos al laboratorio de la universidad para ver si realmente están contaminados.

B Episodio 8

1. ¿Qué información da el Sr. Navarro a Carlos que ayuda su causa contra La Jacaranda y don Silvestre?

El Sr. Navarro dice que no compra frutas y verduras de la Hacienda La Jacaranda porque los precios son altos y la calidad es inferior.

2. ¿Por qué no ha cambiado (*has changed*) Silvestre el título de la hacienda y el hotel?

Porque él no quiere ser responsable de la contaminación y no es buena publicidad para su campaña política.

3. ¿Qué le pasa a María? ¿Qué hacen Felipe y Carlos?

María se está resfriando. Felipe le da unos bombones, pero Carlos dice que a María no le gustan los bombones.

4. ¿Cuáles son unos ejemplos que muestran la fricción entre Carlos y Felipe?

Answers may vary: Carlos dice que quiere comprar algo para María porque ella se está resfriando, y Felipe no está contento con eso. Él cree que a Carlos todavía le gusta María. Empieza una discusión fuerte.

Nombre ______

Fecha ______

5. ¿Qué resuelve el problema entre Felipe y Carlos?

Carlos le da una serenata a Jamie, y Felipe ve que Carlos ya no está interesado en María.

6. El Director de Operación Aztlán dice que Carlos contribuye a la batalla (*battle*). ¿Por qué crees que usa la palabra "batalla"?

Answers may vary. Possible answer: Porque la conservación del medio ambiente es muy importante, pero muchas personas no hacen nada para ayudar la causa.

7. ¿Qué información da el Director a Carlos y Jamie sobre La Jacaranda?

a. Don Silvestre sabe que hay una conferencia sobre la contaminación agrícola y la salud de los campesinos.
b. Carlos y Jamie pueden solucionar el problema de los pesticidas y de salud.
(c.) Hay muchas quejas (*complaints*) contra La Jacaranda y los problemas de salud son los peores de la región.

C Para entender mejor

1. ¿Por qué es importante la información que obtiene Carlos del laboratorio?

La información dice que los pesticidas que usan en La Jacaranda son ilegales.

2. ¿Por qué crees que Carlos está tan enojado (*angry*) cuando habla de La Jacaranda y de don Silvestre?

Answers may vary. Possible answers: Porque en La Jacaranda están usando pesticidas ilegales, y porque don Silvestre no obedece las leyes.

3. ¿Qué quiere decir Jamie cuando dice, "Yo soy de allá, del otro lado"? ¿Qué efecto crees que tiene esto en la relación entre ella y Carlos?

Quiere decir que ella es de Estados Unidos y tiene su vida allí, no en México.

Answers will vary.

Nombre ______________________

Fecha ______________________

A ¿Recuerdas?

1. ¿Qué evidencia tiene Carlos contra la Hacienda La Jacaranda?

Tiene el reporte del laboratorio de la universidad que confirma que los pesticidas que se usan en La Jacaranda son ilegales.

B Episodio 9

1. ¿Por qué está Jamie en el consultorio del doctor?

Porque acompaña a María, que está resfriada.

2. ¿Cuál es el problema del campesino en el consultorio?

Está enfermo y tiene tos por el pesticida que se usa en La Jacaranda.

3. ¿Por qué quita la esposa del campesino el cartel "Vota por Silvestre" de la pared?

Porque don Silvestre es un ladrón y no le importa la salud de sus trabajadores.

Answers may vary.

4. ¿Qué le recomendó el doctor a María? ¿Conoces otros remedios para la gripe? ¿Cuáles?

María tiene que tomar aspirina, mucho jugo de naranja, té con limón y descansar.

Answers will vary.

5. ¿Qué crees que dice Felipe a María?

Answers may vary, but should include: Felipe dice que quiere verla mañana.

6. ¿Qué mensaje deja Carlos para Jamie en el contestador?

Quiere saber si Jamie va a ir a la conferencia sobre la contaminación global.

7. En el otro mensaje para Jamie en la contestadora, Rogelio . . .

a. dice que Jamie tiene que ir a la biblioteca.

b. dice que Jamie no debe escucharlo.

(c.) dice que tiene que hablar con Jamie.

C Para entender mejor

1. Rogelio dice que su mensaje es cuestión "de vida o muerte". ¿En tu opinión, qué información puede tener Rogelio? ¿Cómo puede afectar a Jamie? Habla de tus ideas con un(a) compañero(a) y después todos pueden conversar sobre el tema.

Answers will vary.

2. Isabel Ramírez es especialista en los problemas de la contaminación. ¿Qué problemas existen en México que viste en este episodio? ¿Qué problemas hay en Estados Unidos?

La contaminación del aire, el agua y la tierra. Answers will vary.

3. Se dice que los problemas de la contaminación son más importantes para los seres humanos y los animales que para el planeta, porque la Tierra va a sobrevivir (*survive*) de todos modos. ¿Estás de acuerdo con esto? ¿Qué pueden hacer las personas para resolver los problemas de la contaminación? Habla con un(a) compañero(a) sobre esto.

Answers will vary.

Nombre

Fecha

Video Activities

A ¿Recuerdas?

1. ¿Por qué no quiere decir Demetrio la verdad? ¿Cómo terminó el último episodio?

Demetrio tiene miedo de don Silvestre. El último episodio terminó con policías, ambulancias y reporteros fuera de la biblioteca.

B Episodio 10

1. ¿Qué pasó en la biblioteca durante la noche?

Demetrio encontró a un ladrón en los archivos. Lo trató de atrapar pero tropezó y el ladrón se escapó.

2. ¿Cómo está Demetrio? ¿Qué decide hacer?

Demetrio está bien, pero decide ayudar a Jamie y decirle todo.

3. ¿Qué pasó con el testamento de doña Josefa, según Demetrio?

(a.) Ella dejó el testamento a su abogado, el abuelo de Silvestre, pero él no pudo encontrar a otro miembro de la familia y se quedó con las propiedades.

b. Dejó el testamento a su abogado, el abuelo de Silvestre, quien buscó a Jamie para decirle que es heredera de las propiedades.

c. Dejó el testamento a su abogado, don Silvestre, quien se quedó con las propiedades de Jamie.

Nombre ______________________

Fecha ______________________

4. ¿Qué problemas puede tener Jamie con el testamento?

1. El testamento es de la época antes de la Revolución y puede ser que no sea válido;

2. Silvestre no va a querer renunciar a las propiedades.

5. Según Demetrio, ¿por qué pasó el robo de anoche? ¿Qué hace él ahora con el testamento?

Demetrio piensa que fue obra de Silvestre, quien buscaba el testamento. Demetrio da el testamento a Jamie.

6. ¿Por qué va Jamie a La Jacaranda?

Answers may vary but could include: Porque ella quiere ver la hacienda que era de su bisabuela y que puede ser suya ahora.

7. ¿Por qué dice el trabajador a Jamie y Carlos que se vayan pronto?

Porque los trabajadores acaban de echar el pesticida y es muy fuerte.

8. ¿Qué pasa en el sueño de Jamie?

Jamie sueña con don Silvestre, quien la amenaza, y con La Catrina, quien le dice que toda su propiedad es de Jamie.

C Para entender mejor

1. ¿Qué problemas pueden ocurrir si el testamento resulta válido y Jamie es la heredera verdadera de las propiedades de doña Josefa? Habla con un(a) compañero(a) sobre esto.

Answers will vary.

2. Antes de acostarse, Jamie ve el programa del Día de los Muertos. Describe algo de la fiesta. ¿Hay algo parecido a esto en otras culturas? ¿Cómo es?

Answers will vary. Possible answer: Halloween.

A ¿Recuerdas?

1. ¿Cómo recibió don Silvestre la propiedad de La Catrina?

La recibió por su abuelo, quien era el abogado de La Catrina. Cuando La Catrina murió, dejó su testamento al abogado, pero él no pudo encontrar a otros miembros de la familia. Y se quedó con la propiedad, que pasó a Silvestre.

B Episodio 11

1. ¿Por qué no está contento don Silvestre con Manchado?

Porque Manchado dice que el testamento parece ser válido y Jamie tiene derechos. Pero Silvestre no quiere que el testamento sea válido porque él puede perder mucho dinero.

2. ¿Qué observa Santana en este episodio?

Observa a Silvestre y a sus asociados.

3. ¿Cuál es la estrategia de Silvestre para resolver sus problemas?

Silvestre quiere convencer a Jamie para que vuelva a Estados Unidos. Él dice que hay que robar los documentos que tiene Jamie.

4. ¿Qué hay en el otro lado de la foto de La Jacaranda en la oficina de Silvestre? ¿Qué hace él con la foto?

Hay una foto de La Catrina al otro lado. Silvestre le habla a la foto, dice que no va a devolver lo que es suyo.

5. ¿Qué pasa entre Felipe y María en este episodio?

a. Hablan del futuro y Felipe cree que van a estar juntos. (circled)

b. Hablan del futuro de las películas de ciencia ficción.

c. Hablan del futuro cuando sus hijos van al cine.

6. ¿Qué pasa esa noche en la casa de María?

Después de acostarse, las muchachas oyen un ruido. Descubren que entró alguien en la casa. El hombre empieza a escaparse y hay alguien que aparece y trata de atraparlo. Pero Jamie guardó el testamento en un lugar seguro.

C Para entender mejor

1. En tu opinión, ¿qué va a hacer Silvestre? Después de escribir tus ideas, habla con un(a) compañero(a) sobre ellas. Combina las ideas en un párrafo.

Answers will vary.

2. Describe algunas de las diferencias entre las películas en México y en Estados Unidos.

Answers will vary. Possible answers: Las películas norteamericanas son muy populares en México, pero no se doblan al español. La gente allí prefiere los subtítulos. En Estados Unidos muchas películas extranjeras son dobladas.

3. Felipe y María hablan sobre el futuro. Y tú, ¿qué piensas que va a pasar en tu vida en diez años? ¿En veinte años?

Answers will vary.

Nombre

Fecha

A ¿Recuerdas?

1. Describe cómo se siente Silvestre. En tu opinión, ¿qué va a hacer?

Silvestre tiene miedo de tener que devolver las propiedades a Jamie. Él no quiere hacerlo.

Answers will vary.

B Episodio 12

1. Carlos y Jamie van al Palacio Nacional, al Zócalo, al Palacio de Bellas Artes y al Museo de Antropología e Historia. ¿Cuál de estos lugares te gustó más y por qué?

Answers will vary.

2. En el Museo Diego Rivera, Jamie reconoce un mural. ¿Cómo se llama? ¿Cuáles son algunos de los personajes famosos en el mural?

"Sueño de una tarde dominical en la Alameda Central." Algunos personajes: José Guadalupe Posada, Porfirio Díaz, Francisco I. Madero, Frida Kahlo y Diego Rivera, y La Catrina.

3. ¿Qué noticias tiene la licenciada Beltrán para Jamie? Escribe dos cosas sobre el testamento que pueden ser problemas para Jamie.

La licenciada Beltrán dice que la herencia es muy grande y las propiedades valen mucho.

Pero Jamie tiene que pagar mucho dinero al gobierno de México y vivir allí.

4. ¿Por qué hace un dibujo la licenciada Beltrán?
Para mostrar a Jamie cómo se dividen las propiedades y cuánto dinero tiene que pagar al gobierno.

C Para entender mejor

1. ¿Dónde van a resolver el caso y qué crees que va a hacer Silvestre?
Tienen que decidir el caso en la corte de Querétaro. Answers will vary but could include: Silvestre va a hacer de todo para quedarse con las propiedades.

2. Imagina que tú eres la licenciada Beltrán. ¿Cuál va a ser tu estrategia?
Answers will vary.

3. ¿Crees que son pesimistas u optimistas Carlos y Jamie? Explica tu respuesta.
Answers will vary.

Paso a paso 2

Capítulo 13

Nombre ______________________

Fecha ______________________

Video Activities

A ¿Recuerdas?

1. ¿Qué pasó durante la visita de Jamie y Carlos a la oficina de la licenciada Beltrán?

La licenciada Beltrán les explica cuáles son las propiedades de La Catrina y también que Jamie tiene que pagar mucho dinero, o impuestos, al gobierno de México y vivir allí.

B Episodio 13

1. ¿Qué piden Carlos y Jamie en el restaurante? Y a ti, ¿qué te gusta comer cuando vas a un restaurante?

Jamie pide camarones y enchiladas y Carlos pide arroz con pollo a la parrilla. Los dos piden refrescos. Answers will vary.

2. ¿Qué dice Carlos de Silvestre?

Que por suerte, don Silvestre es candidato en las elecciones, y no va a querer leer en los periódicos que es acusado de robar a la descendiente de doña Josefa.

3. En la corte, ¿qué argumento usa Manchado, el abogado de Silvestre? Escribe las tres razones.

El testamento no tiene sello oficial; no tiene firma de testigos; las leyes de hoy no son las mismas que entonces.

4. ¿Qué argumento usa la licenciada Beltrán?

El testamento dice que todas las tierras pertenecen al primer miembro de la familia de doña Josefa que se presente en Querétaro. También hay un testigo, el Sr. Barbudo.

5. ¿Qué información tiene el testigo de la licenciada Beltrán, el Sr. Barbudo?

Dice que las tierras están a nombre de doña Josefa, porque don Silvestre nunca cambió el título.

6. ¿Cuál es la decisión del juez?

a. Que don Silvestre se quedó ilegalmente con las propiedades y Jamie es la heredera verdadera. (circled)

b. Que don Silvestre tiene que cambiar el título de las propiedades para quedarse con ellas.

c. Que Jamie es una adolescente y una extranjera y no puede ser la heredera.

7. ¿Qué pasa en la fiesta?

Answers may vary. Possible answers: Jamie dice que tiene que hablar con sus padres, porque todo está muy complicado. Demetrio presenta a Santana a Jamie y Carlos.

C Para entender mejor

1. ¿Por qué cree don Silvestre que él es el dueño de las propiedades?

Porque las recibió de su abuelo y él paga los impuestos de las tierras.

Answers may vary.

2. ¿Crees que la decisión del juez es justa? Habla con un(a) compañero(a) sobre esto.

Answers will vary.

3. En tu opinión, ¿qué va a hacer Jamie ahora? ¿Va a quedarse en Querétaro? Si no, ¿qué va a hacer con las propiedades?

Answers will vary.

 Nombre ______

CAPÍTULO 14

Fecha ______ Video Activities

A ¿Recuerdas?

1. ¿Cómo cambiaron las cosas para Jamie en el Episodio 13?
Fueron a la corte de Querétaro donde el juez decidió que ella es la heredera de todas las propiedades de doña Josefa. Jamie es una mujer rica ahora.

B Episodio 14

1. ¿Qué tiene que decidir Jamie? ¿Por qué es tan complicado?
Si Jamie acepta la herencia, debe pagar impuestos y quedarse en Querétaro. No puede ir a UCLA.

2. ¿Qué aconsejan sus padres?
Dicen que Jamie tiene que pensar en el futuro, que debe volver a Estados Unidos porque tiene su vida allí.

3. ¿Por qué decide Jamie apoyar (*support*) a Operación Aztlán?
Porque don Silvestre hizo mucho daño con los pesticidas ilegales y Operación Aztlán puede ayudar a solucionar ese problema.

4. ¿Qué declaración oficial da Jamie al juez?
Decide dar la Hacienda La Jacaranda y todas sus tierras a Operación Aztlán. El hotel va a quedar a nombre de la familia de Jamie.

5. Hay una condición en la declaración. ¿Cuál es?
Que la Hacienda La Jacaranda debe llevar el nombre que originalmente tenía: Hacienda La Catrina.

6. ¿Qué regala el hijo de Silvestre, Paco, a Jamie?
Le regala un anillo que perteneció a La Catrina.

C Para entender mejor

1. ¿Por qué crees que Jamie decidió regalar parte de su herencia a Operación Aztlán?
Answers may vary. Possible answer: Porque ella cree que Operación Aztlán puede ayudar a los trabajadores y producir mejores frutas y verduras. Y ella no puede quedarse a vivir en Querétaro.

2. ¿Cómo se siente Carlos al aprender que Jamie va a volver a Los Ángeles?
Se siente triste, pero sabe que Jamie puede volver porque el Hotel La Jacaranda queda a nombre de su familia.

3. En este episodio, Jamie dice a Carlos: "Nuestra historia está comenzando." En tu opinión, ¿qué puede pasar en el futuro? Escribe un párrafo sobre esto en otra hoja de papel.
Answers will vary.

4. ¿Estás de acuerdo con la decisión que tomó Jamie? ¿Por qué?
Answers will vary.

5. Imagina que tú recibiste una gran herencia, como la de Jamie. ¿Qué haces con esa herencia?
Answers will vary.

Tapescript

PASODOBLE

1 Audio Activities, p. 91, Actividad P.1.

(Use after p. 25.)
3:52 Counter no. ___

Listen to the following students tell what they look forward to as they return to school. Write the name of each speaker under the corresponding picture. You will hear each statement twice.

1. ¡Hola!, yo me llamo Victoria. Este año voy a jugar básquetbol; practiqué mucho durante el verano. El primer partido es en diciembre.
2. Yo soy Miguel. A mí me encanta esquiar. Cada invierno el club de esquiar va a las montañas. ¡Es muy divertido!
3. Mi nombre es Ana. Descansé todo el verano y ya quiero empezar a estudiar. Mi clase favorita es la de historia con la señorita Ordóñez.
4. Soy Sandra Valdivia. ¿Cuándo es el primer baile de la escuela? ¡Quiero bailar con mis amigos!
5. Soy Benito. Este año voy a jugar fútbol americano con los Jaguares. Mi número es el treinta y tres.
6. Les habla David Cifuentes. El mejor tiempo del día escolar es la hora del almuerzo. Me gusta estar con mis amigos en la cafetería.

Audio Activities, p. 91, Actividad P.2.

(Use after p. 25.)
1:45 Counter no. ___

In an effort to help students get to know each other, the student council is conducting a survey entitled *Soy como soy.* Listen to the questions and write your answers below.

1. ¿Qué te gusta hacer los fines de semana?
2. ¿Qué tipo de música te gusta?
3. ¿Qué comes por la mañana antes de ir a la escuela?
4. Generalmente, ¿cuántas horas de televisión miras por semana?
5. ¿Cuáles son las dos palabras que te describen mejor?

Audio Activities, p. 92, Actividad P.3.

(Use after p. 25.)
2:23 Counter no. ___

After only a week of school, many students find it difficult to sit in their seats for such a long time! As you listen to these students asking permission to leave their seats, write the number of the request under the corresponding picture.

1. Perdón, profesora. ¿Puedo usar el teléfono? Tengo que hablar con mi madre.
2. Profesor, tengo mucha sed. ¿Puedo salir a tomar agua?
3. ¡Ay!, me duele el estómago. Srta. Pérez, ¿puedo ir a la enfermería?
4. Perdón, Srta., mi hermano tiene mi libro de español. Él ahora está en su clase de matemáticas en el cuarto ciento cuatro. ¿Puedo ir por mi libro?
5. Profesor, tengo mucho frío. ¿Puedo ir a mi armario por mi suéter?

Audio Activities, p. 92, Actividad P.4.

(Use after p. 25.)
2:27 Counter no. ___

As you listen to the following group of words, decide which word does not belong in the group. Write that word in the grid below.

1. el museo, la catedral, el otoño, el centro comercial
2. el cuchillo, el sótano, la cuchara, el tenedor
3. la lámpara, el escritorio, la salud, la silla
4. anaranjado, gris, atrevido, azul
5. noche, frío, fresco, calor

CAPÍTULO 1

1 Vocabulario para conversar
Text, pp. 30–31.
5:28 Counter no. ___

2 Audio Activities, p. 93, Actividad 1.1.
(Use after *Vocabulario para conversar,* p. 33.)
5:08 Counter no. ___

Listen to the following students describe their classes on the first day of school. Write the number of the statement under the corresponding picture. You will hear each statement twice.

1. Tengo clase con la Srta. Arcos, ¡ella es genial! Cuando explica una equación, es muy divertida, ¡así es fácil descubrir el valor de X ó Y! Ya no me dan miedo los números.
2. Oye, ¿qué piensas del Sr. Robles, el científico? Siempre lleva chaqueta blanca, pantalones demasiado cortos, y todos los marcadores en el bolsillo de la camisa. Es como un científico de una película de horror, que hace experimentos en su laboratorio.
3. En la clase del señor Velasco tenemos que hacer un informe sobre la historia de los españoles. A mí no me interesa nada el pasado, pero el señor Velasco dice que si entendemos el pasado, podemos resolver los problemas del futuro. ¡Por eso tenemos que hacer un informe de quinientas palabras!
4. ¿Para qué sirve el corazón? ¡Para el amor! Pero en la clase del profesor Rodríguez, el corazón no es romántico. Es un órgano con una función específica nada más. Tenemos que memorizar los nombres de todos los órganos del cuerpo para la prueba del viernes.
5. ¿Dónde está Costa Rica? ¿En América del Sur o en América Central? Las dos regiones tienen la palabra "América" y por eso de vez en cuando me olvido.
6. La maestra dice que vamos a leer novelas clásicas, como *Cien años de soledad,* de Gabriel García Márquez. Esta semana tenemos que leer el primer capítulo y la próxima semana el segundo. ¡Voy a estar muy ocupada este semestre!

3 Vocabulario para conversar
Text, pp. 34–35.
5:22 Counter no. ___

4 Audio Activities, p. 93, Actividad 1.2.
(Use after *Vocabulario para conversar,* p. 37.)
2:41 Counter no. ___

Juan Manuel, Beto, and Felipe have left their book bags in the boys' locker room. See if you can figure out to whom each bag belongs. Here are some clues: Juan Manuel is hosting a Russian exchange student. Beto is on the yearbook staff, and Felipe loves sports. As you hear the descriptions of the three bags and their contents, fill in the grid below.

1. Este bolso negro es muy interesante. Aquí está una calculadora, un libro con números telefónicos, y ¿qué es esto? Ah, es un diccionario de ruso.
2. Este bolso blanco es de alguien a quien le gusta sacar fotos. ¡Qué bonita cámara! ¡Y cuántas fotos! Aquí hay fotos de los estudiantes de la escuela.
3. Este bolso amarillo está lleno de artículos deportivos: tarjetas de béisbol, revistas deportivas, tenis, una pelota y hasta un calcetín sucio. ¡Uf! ¡Qué asco!

5 Audio Activities, p. 94, Actividad 1.3.
(Use after *¡Comuniquemos!,* p. 39.)
2:29 Counter no. ___

Listen to the principal welcoming students back to school. Circle the drawings that represent what students are allowed to do, and put an X over the drawings that represent what students are not allowed to do.

Buenos días. Soy el doctor Delgadillo, el director de la escuela. Los maestros, los consejeros y yo pasamos mucho tiempo planeando un año escolar muy especial. Ahora les comunico algunas reglas importantes. Primero, se prohibe comer en las salas de clases. Deben dejar los refrescos y los dulces en sus armarios hasta la hora del almuerzo. Hay algunos cambios sobre la ropa que se permite llevar en la escuela. Se permite usar pantalones cortos, hasta la rodilla solamente. Se prohibe caminar sin zapatos. Por último, se prohibe correr en la escuela. Siempre tienen que caminar. Si tienen alguna pregunta, hablen con sus consejeros o maestros. Muchas gracias.

6 Audio Activities, p. 94, Actividad 1.4.
(Use after *Gramática en contexto,* p. 49.)
1:48 Counter no. ___

Listen as Rolando describes his favorite people. Write the number of the statement under the corresponding picture.

1. Verónica es la muchacha más bonita de la clase. Es tan bonita como una flor.
2. Mis abuelos no tienen mucho dinero. Pero son tan generosos como la Madre Teresa.
3. A Laura le gusta mucho practicar deportes. Es tan deportista como Gabriela Sabatini.
4. Laura baila tan bien como Gustavo. Me gusta mucho verlos bailar.

Audio Activities, p. 95, Actividad 1.5.
(Use after *Gramática en contexto,* p. 49.)
3:29 Counter no. ___

Now listen as Rolando compares four pairs of friends who are as different as night and day. For each comparison, write the names of the people he is describing under the corresponding pictures.

1. Rubén ayuda mucho en su casa. Todo el fin de semana hace quehaceres. En cambio, Guillermo es muy perezoso. Sólo le gusta descansar los fines de semana. Rubén es el muchacho más trabajador que conozco.
2. Marcos es el amigo más alto que tengo. Los pantalones siempre le quedan cortos. Pero mi amiga Blanca es muy baja y pequeña. Es la muchacha más baja de la clase de español.
3. Mis amigos Marcela y Pablo son gemelos. Marcela es la más atrevida de los dos. Practica deportes acuáticos muy peligrosos. Pero Pablo, por otra parte, no es atrevido. Es el más prudente de los dos.
4. Esteban es el más ordenado de la sala de clases. Todas sus cosas siempre están en su lugar. Y Leonardo es el muchacho más desordenado que conozco. Sin embargo, siempre sabe dónde está todo.

7 ¡Vamos a leer!
Text, pp. 52–53.
4:16 Counter no. ___

CAPÍTULO 2

1 Vocabulario para conversar
Text, pp. 62–63.
5:18 Counter no. ___

2 Audio Activities, p. 96, Actividad 2.1.
(Use after *Vocabulario para conversar,* p. 65.)
3:35 Counter no. ___

Listen as you hear a typical morning in the Hotel Reina Sofía being described. Write the room number of the hotel guest under the corresponding picture. You will hear each statement twice.

1. La persona en el doscientos veinticinco se ducha.
2. La persona en el cuatrocientos quince se cepilla los dientes.
3. La persona en el ochocientos treinta se despierta.
4. La persona en el trescientos cuarenta y dos se peina.
5. La persona en el ciento sesenta se acuesta.
6. La persona en el setecientos treinta mira las noticias en la tele.
7. La persona en el seiscientos doce se viste.
8. La persona en el quinientos seis lee un libro.
9. La persona en el cuatrocientos treinta y cinco habla por teléfono.
10. La persona en el doscientos cincuenta y seis se seca el pelo.

3 Vocabulario para conversar
Text, pp. 66–67.
6:01 Counter no. ___

4 Audio Activities, p. 97, Actividad 2.2.
(Use after *Vocabulario para conversar,* p. 69.)
5:59 Counter no. ___

As part of freshman orientation, students can go to the *Feria de clubes* to find the perfect club or activity for them. Write the number of the conversation next to the name of the corresponding club or activity.

1. —¡Hola! Bienvenido. ¿Te gusta escribir?
   —Sí. Hace cinco años que escribo poemas y composiciones. ¿Cuántos miembros hay en el grupo?
   —Hay veinte en total. El club es muy divertido.
2. —Tú dibujas muy bien. Tienes talento.
   —Gracias. Mi madre es artista gráfica y ella me ayuda mucho.
   —¿Te gustaría saber más sobre nuestro club?

3. —Yo te conozco. Eras miembro del equipo de básquetbol, ¿no?
—Sí, sí. ¿Qué me dices de este club? ¿Crees que me gustaría?
—¡Pues yo creo que sí! Si te gusta el básquetbol, este club es para ti.
4. —Compré una computadora y me interesa mucho usarla para mis clases.
—Pues en este club tenemos expertos que nos enseñan y nos muestran todos los programas nuevos para las computadoras. Creo que te gustaría este club.
5. —¡Qué cámara tan profesional!
—Sí, es de mi padre, pero yo la uso cuando quiero. Él es un fotógrafo profesional y trabaja para el periódico local.
—¿Te gustaría sacar fotos para nuestro periódico?
6. —Me gusta cantar. Soy cantante en la iglesia de mi comunidad.
—Entonces, este club es para ti. De vez en cuando damos conciertos. Es un grupo muy grande y también nos divertimos mucho.
7. —¿Tengo que comprar un instrumento musical para participar en este club?
—No. Hay instrumentos para las personas que los necesiten.
8. —Me interesa mucho el programa espacial. Visité la NASA el junio pasado y ahora quiero aprender más. ¿Ustedes estudian el programa espacial?
—Claro que sí. En nuestra primera reunión vamos a invitar a un astronauta para hablar sobre temas científicos.

5 Audio Activities, p. 97, Actividad 2.3.
(Use after *¡Comuniquemos!,* p. 71.)
4:32 Counter no. ___

Listen as Julio and Marta, candidates for student council president, deliver their campaign speeches. As you listen to each speech, check off the campaign promises for each candidate on the grid below.

1. Después de estudiar tres años en esta escuela, muchos de nosotros sabemos que es la mejor escuela de todas. ¡Pero puede ser mejor! Prometo que el próximo año vamos a tener UNA HORA para el almuerzo. Cuarenta minutos es suficiente para comer, ¡pero no para hablar con los amigos! Yo creo que también necesitamos música en la cafetería. A muchos de nosotros nos gusta bailar, cantar y escuchar buena música antes de regresar a las clases. Para un año escolar especial, voten por mí: ¡JULIO!
2. Nuestra escuela es más que una escuela. Es una comunidad. Todos tenemos algo que ofrecer. Algunos somos atléticos, otros artísticos, algunos atrevidos y otros estudiosos. Por eso quiero formar un club de servicios sociales para la comunidad. También quiero formar un programa de estudio durante el almuerzo para los estudiantes con problemas en sus clases. Así usamos el talento de cada uno de nosotros. Conmigo, podemos tener una escuela mejor, pero ustedes tienen que votar por mí. Gracias.

6 Audio Activities, p. 98, Actividad 2.4.
(Use after *Gramática en contexto,* p. 81.)
2:03 Counter no. ___

As part of a scavenger hunt, your team must collect seven items. Listen to the following clues for those items and put the number of the clue under the corresponding picture. Two of the items will not be used.

1. La uso cuando me cepillo los dientes.
2. Me despierta por las mañanas.
3. Lo uso cuando me ducho.
4. Los busco cuando quiero vestirme.
5. Lo necesito para lavarme el pelo.
6. Lo uso para secarme el pelo.
7. Lo uso cuando me cepillo el pelo.

Audio Activities, p. 98, Actividad 2.5.
(Use after *Gramática en contexto,* p. 81.)
2:45 Counter no. ___

You are babysitting little Mario Sosa. Listen to Sra. Sosa's taped message outlining your responsibilities. In the grid below, check off the things that Mario can do for himself *(Mario puede hacerlo)* and what you must do for him *(Mario no puede hacerlo)*.

Yo sé que vamos a pasarlo bien porque Mario te quiere mucho. Aquí están unas instrucciones para que todo salga bien. Primero, antes de acostarse, a Mario le gusta tomar un vaso de leche de chocolate. Él no puede servirse la leche solo. Hay que servirle la leche en su vaso de plástico. Después, tienes que bañarlo y lavarle el pelo dos veces con champú de bebé. Luego, Mario tiene que cepillarse los dientes. Él puede cepillárselos solo. Debe usar la pasta dentífrica azul. Para dormir, a él le gusta usar la piyama a rayas. Él puede vestirse solo. Sólo apaga la luz y deja la puerta medio abierta. Hasta más tarde y gracias.

CAPÍTULO 3

1 Vocabulario para conversar
Text, pp. 94–95.
6:12 Counter no. ___

2 Audio Activities, p. 99, Actividad 3.1.
(Use after *Vocabulario para conversar,* p. 97.)
2:48 Counter no. ___

Listen to the following radio ads for three stores. Write the number of the ad under the corresponding picture. You will hear each ad twice.

1. Vengan ustedes a Casa Martí. Para la mujer elegante, ofrecemos ropa de los mejores diseñadores. Tenemos la mejor selección de ropa sencilla y elegante en la ciudad. ¡Abrimos de lunes a sábado!
2. Esta semana en El Zapato Barato, compre un par de zapatos y llévese el otro par a mitad de precio. Tenemos mocasines, zapatos de tacón alto, zapatos deportivos . . . ¡todo está en liquidación!
3. Desde hoy hasta el diez de mayo, el Almacén Buenhogar ofrece una venta especial para el Día de las Madres. Aquí puede encontrar el regalo perfecto para mamá en su día especial. Si usa la tarjeta de crédito Buenhogar, ¡usted no paga interés hasta julio!

3 Vocabulario para conversar
Text, pp. 98–99.
5:55 Counter no. ___

4 Audio Activities, p. 99, Actividad 3.2.
(Use after *Vocabulario para conversar,* p. 103.)
3:25 Counter no. ___

Listen as tourists from the U.S. buy clothes and shoes in Barcelona. As you listen to the conversations, write down the U.S. size and the European size in the corresponding box in the grid.

1. —Busco unos zapatos de piel, color negro, para la oficina. En los Estados Unidos uso el número diez.
   —Oh, pues aquí en Barcelona es el número cuarenta y dos. Aquí tiene tres pares para escoger.
2. —¡No hay nada como el vestido negro! Necesito uno para una fiesta el sábado. En los Estados Unidos uso talla diez. ¿Qué talla uso aquí?
   —La talla diez es equivalente a la talla cuarenta y dos aquí. Mire, éste es un vestido negro muy elegante. Es de lana.
   —¡Oh, qué bonito! ¡Me encanta! Quiero probármelo.
3. —Buenas tardes. Necesito una camisa de manga larga, amarilla, con rayas azules. En los Estados Unidos uso talla quince. ¿Qué talla uso aquí?
   —Bueno, señor, la talla quince es la talla treinta y ocho en España. Aquí tengo una camisa de algodón, como usted la quiere.
   —Ah, perfecto. ¿Puedo pagar con mi tarjeta de crédito?

5 Audio Activities, p. 100, Actividad 3.3.
(Use after *¡Comuniquemos!,* p. 105.)
5:27 Counter no. ___

Listen to Daisy Danilo from the TV show *De moda* interview people in a shopping mall regarding their clothing preferences. Write the name of the person being interviewed under the corresponding picture.

1. —Perdón, joven. ¿Cómo te llamas y cómo te gusta vestirte los fines de semana?
   —Oh, tú eres Daisy Danilo, ¿verdad? Mucho gusto. Yo me llamo Nacho. Los fines de semana yo trabajo en el jardín de mi casa cortando el césped, atendiendo las flores, etcétera. Para hacer esto, me gusta usar jeans, camiseta, tenis y gorra de béisbol para protegerme del sol.
   —Muy bien. Gracias, Nacho.

2. —Señorita, ¿qué tal? ¿Cómo te llamas?
—¡Hola, Daisy! Soy Rosalinda.
—Rosalinda, ¿cómo te gusta vestirte los fines de semana?
—A mí me encanta bailar los fines de semana. Yo voy a bailar en el Club Fénix, que ahora está muy de moda. Para entrar al club, tengo que llevar ropa de fiesta: vestido, zapatos de tacón alto y aretes grandes. Es muy divertido.
—¡Qué bien! Me parece muy divertido, Rosalinda.
3. —¿Y tú, joven? ¿Quién eres y qué ropa usas los fines de semana?
—¿Qué tal? Yo me llamo Gabriel. Los fines de semana son para descansar y por eso uso ropa cómoda: chandal flojo, tenis, gorra de béisbol. Es todo.
4. —Sí, es bueno descansar después de una larga semana de trabajo. Jovencita, dime tu nombre. ¿Cómo te vistes los fines de semana?
—Bueno, mi nombre es Susie. Yo soy muy deportista y los fines de semana patino en el parque. Para patinar, uso pantalones cortos, camiseta y también un casco, guantes y protección en las rodillas y los codos.
—Perfecto, Susie. Bueno, eso es todo por hoy. Hasta la próxima, amigos y recuerden: no importa lo que hagan, ¡hay que estar DE MODA!

6 Audio Activities, p. 101, Actividad 3.4.
(Use after *Gramática en contexto,* p. 115.)
2:37 Counter no. ___

Tomás works at a currency exchange in an international airport. Listen as the following people exchange their currency into U.S. dollars. Using the chart on p. 106 of your text, write the name of the currency next to the name of the corresponding country.

1. Muy buenas tardes, joven. Me gustaría cambiar mi dinero. ¿Cuánto vale el bolívar hoy?
2. Buenas tardes. ¡Qué bueno que por fin llegué! ¿Cuánto vale el sucre?
3. ¡Hola! El lempira, ¿cuánto vale? ¿Es mejor cambiarlo aquí o en el banco?
4. ¡Hola! Me quedan muchos quetzales de mi viaje. ¿Cuánto valen hoy?
5. Buenas tardes. Necesito cincuenta dólares. ¿Cuánto es en córdobas?
6. Tengo mil quinientas pesetas. ¿Cuántos dólares son?

Audio Activities, p. 101, Actividad 3.5.
(Use after *Gramática en contexto,* p. 115.)
3:22 Counter no. ___

Listen to the following teenagers describe the most daring thing they ever did. Write the number of the statement under the corresponding picture.

1. ¿La cosa más atrevida que hice? Tiene que ser la vez que le dije a mi novia que salí con su mejor amiga. Mi novia no me habló por dos semanas.
2. Pues yo hice algo que les voy a confesar. La Sra. Salgado me dio una mala nota en el examen de inglés. Yo estaba tan enojada, que le llamé a las tres de la mañana, ¡pero ella vio mi número de teléfono en la pantalla! Al día siguiente ella le llamó a mi mamá.
3. Yo recuerdo que el año pasado le regalé un árbol de Navidad a Sara, mi novia, ¡pero se lo entregué por la chimenea de su casa, como Santa Claus! ¡Fue imposible; un desastre!
4. Lo más atrevido que yo hice ocurrió el fin de semana que pasé con mi prima Elena. Ella tiene mucho dinero y tiene doce tarjetas de crédito. Una noche llamamos a la Pizzería Alberto y pedimos veinte pizzas. Las entregaron —en treinta minutos o menos— ¡a la casa del director de la escuela!

CAPÍTULO 4

1 Vocabulario para conversar
Text, pp. 128–129.
6:43 Counter no. ___

2 Audio Activities, p. 102, Actividad 4.1.
(Use after *Vocabulario para conversar,* p. 133.)
2:40 Counter no. ___

You and your friend are taking inventory of the sports equipment in the coaches' office. As your friend calls out the total amount of each item, write that amount under the corresponding picture.

1. ¡Cuánto equipo para los entrenadores! ¿Listo? ¿Tienes lápiz? Bien. . . . Primero, tenemos treinta discos de hockey.
2. Y aquí tenemos veinte pesas de treinta libras cada una. ¡Uf! ¡No puedo levantarla!
3. Y aquí hay cien pelotas de tenis de color amarillo.
4. Ahora, tenemos cincuenta cascos para el equipo de fútbol americano. ¿Ya?
5. Y finalmente, quince guantes de béisbol. ¡Es todo!

3 Vocabulario para conversar
Text, pp. 134–135.
5:35 Counter no. ___

4 Audio Activities, p. 102, Actividad 4.2.
(Use after *Vocabulario para conversar,* p. 138.)
5:46 Counter no. ___

The DJ on the radio program *Para ti* has thrown out a question to her listening audience: What do you do to shake off the blues? Listen as eight different teenagers call in with their suggestions. Check off each caller's response in the grid below, then answer the question at the bottom.

—Muy buenos días, amigos de ciento cuatro punto dos, Radio Amistad. Bienvenidos a "Para ti," el programa sobre ti y para ti. La pregunta de hoy es: Cuando se sienten tristes, ¿qué hacen ustedes para ya no sentirse tristes? Espero sus llamadas.

1. —¡Hola! Soy Ernesto. Mira, el deporte es la solución para salir de la depresión. Después de levantar pesas por media hora, me siento como nuevo.
   —Muy bien, Ernesto.
2. —La siguiente llamada: adelante.
   —Bueno. Soy Claudia. Cuando estoy triste, me gusta hablar por teléfono con mi mejor amiga. Hablamos por horas y después me siento mejor.
   —Gracias, Claudia.
3. —A ver, ¿quién está en esta línea?
   —Soy Victoria. Cuando yo me siento triste, hablo por teléfono con mi amigo Félix. Él es un gran amigo y consejero.
   —Es bueno tener un amigo así.
4. —¿A quién tenemos por aquí?
   —¡Hola! Somos dos. Soy Javier, y estoy aquí con mi amigo Gerardo. Nosotros pensamos que hay que hacer ejercicio y correr para no sentirse triste.
   —Sí, estoy de acuerdo. Hay que tener buena salud para tener salud mental.
   —De acuerdo, muchachos.
5. —Otra llamada. Adelante.
   —Soy Paloma, con mi amiga Solimar. El lugar perfecto para sentirse completamente tranquilo es un museo de arte. Uno puede pensar en cosas bonitas y buenas en una exposición de arte.
   —Yo pienso lo mismo.
   —Muy bien, señoritas.
6. —La última llamada. Diga.
   —¿Qué tal? Me llamo Ramón. Para no estar triste, yo hago un rompecabezas. Es la mejor diversión.
   —Muchas gracias y nos vemos mañana.

5 Audio Activities, p. 103, Actividad 4.3.
(Use after *¡Comuniquemos!,* p. 141.)
4:58 Counter no. ___

As a show of gratitude, a group of high school Spanish students has recorded a tape for their parents. As you hear each message, write in the name of the student next to his or her message.

1. Querido papá: gracias por la vez que me ayudaste con mi tarea de matemáticas. Lo hiciste con mucha paciencia y, gracias a ti, pude sacar buena nota en el examen. Tu hijo, Sergio.
2. Mamá y papá: yo recuerdo aquella tarde cuando ustedes escucharon mi música rock en vez de escuchar su música clásica. Lo hicieron con mucho gusto (yo creo). Su hija, Laura.
3. Gracias, mamá y papá, por la vez que me compraron una bicicleta roja nueva. Mateo.

4. Mami: yo recuerdo aquella mañana cuando me vestí con aquella blusa vieja, horrible, la que no te gusta, pero tú no dijiste nada. Gracias, mami. Tu hija, Lupe.
5. Mamá: yo recuerdo el miedo que sentí cuando tenía cinco años y me operaron del apéndice. Tú me leíste muchos libros esa noche hasta que me dormí. Gracias por ser tan cariñosa. Tu hija, Silvia.
6. Papá: yo sé que a ti te gusta mucho ver las noticias a las cinco cuando vuelves a casa. Pero tuviste paciencia y me permitiste ver todo mi programa antes de cambiar el canal de la televisión. Tu hijo, Pablo.
7. Papá: ¿Recuerdas cuando me prestaste tu tarjeta de crédito para ir de compras? ¡No lo podía creer! Gracias, papá. Tu hijo, Luis.

6 Audio Activities, p. 103, Actividad 4.4.
(Use after *Gramática en contexto,* p. 149.)
3:02 Counter no. ___

Listen to the following clues about sports and games. Write the number of the clue under the corresponding picture.

1. Mi perro juega mejor este juego que yo porque él puede saltar más alto.
2. Yo empiezo el juego porque tengo el color rojo.
3. Para practicar, tengo que hacer una figura perfecta del número ocho sobre el hielo.
4. Este juego es bueno para mí porque soy inteligente y callada. Una persona usa el color blanco y la otra el color negro.
5. Hay que jugar este juego en el césped con pelotas pequeñas y blancas. Una campeona de este juego es Nancy López.
6. Esta pelota es casi tan grande como mi cabeza. Uno . . . dos . . . ¡tres! (¡uf!) ¡Ay! ¡Sólo cayeron seis! ¡Qué lástima!

Audio Activities, p. 104, Actividad 4.5.
(Use after *Gramática en contexto,* p. 149.)
1:17 Counter no. ___

Listen to the following joke. Circle the correct answer to the three parts of the joke. Then see if you can repeat the joke in Spanish to a partner.
—Doctor, no sé qué me pasa. Pienso que soy una gallina.
—Vaya. Tiene usted un problema muy serio. Tiene que ir al hospital por diez días para un período de observación.
—¿Diez días? ¡Imposible! ¡Mi familia necesita los huevos!

7 ¡Vamos a leer!
Text, pp. 152–153.
1:54 Counter no. ___

CAPÍTULO 5

1 Vocabulario para conversar
Text, pp. 162–163.
7:00 Counter no. ___

2 Audio Activities, p. 105, Actividad 5.1.
(Use after *Vocabulario para conversar,* p. 165.)
4:08 Counter no. ___

Do you remember your favorite childhood toy? Listen as each of the following people describe a favorite childhood toy. On the grid below, write the name of the toy, the age at which the speaker played with it, and who gave the speaker the toy.

1. Soy Rogelio. De pequeño, mi juguete favorito era un triciclo. Me lo regalaron mis abuelos cuando tenía tres años. ¡En ese triciclo yo era el mejor policía de la cuadra!
2. Yo soy Marta. Cuando tenía siete años, mi tía me regaló una muñeca que se llamaba Alisita. Me gustaba vestirla con ropa bonita que yo misma hacía. ¡Cómo quería a esa muñeca!
3. Me llamo Andrés. De pequeño, yo tenía una colección de camiones. Cuando cumplí ocho años, mi hermano me regaló un camión increíble. Hacía sonidos muy reales y tenía luces brillantes también.
4. Soy Lorena. Yo recuerdo mi querido oso de peluche, Bubu. Mi papá me lo regaló cuando yo era bebé. ¡Tenía sólo seis meses! Todavía lo tengo. Voy a llevarlo conmigo a la universidad.
5. Mi nombre es Humberto. De pequeño yo jugaba mucho con un juego de bloques magnéticos. Mi mamá me los dio cuando yo tenía cinco años. Cada día, hacía una palabra nueva en el refrigerador y así empecé a escribir.

3 Vocabulario para conversar
Text, pp. 166–167.
5:15 Counter no. ___

4 Audio Activities, p. 105, Actividad 5.2.
(Use after *Vocabulario para conversar,* p. 169.)
3:35 Counter no. ___

Ricardo, Susana, Marcos, and Julia haven't seen their preschool teacher Srta. Rosi, since they were four years old. Now that they are teenagers, Srta. Rosi can't believe how they've grown. Listen as Srta. Rosi reminisces about their childhood, and write the name of each child under the corresponding picture.

1. ¡Oh, qué gusto verlos! ¡Qué muchachos tan guapos y grandes! Susana, qué niña tan bien educada y atenta eras tú. Siempre decías "gracias" y "por favor," y prestabas tus juguetes sin problema. Te portabas muy bien.
2. En cambio tú, Marcos, eras muy travieso, especialmente con tu pistola de agua. Molestabas a todos los niños. Ya no eres travieso, ¿verdad?
3. ¡Ricardo! ¿Cómo estás? Tú eras el más callado y serio de todos. Cuando todos los niños jugaban en los columpios, tú preferías jugar solo haciendo casitas en el cajón de arena. Y mira ahora: vas a la universidad para estudiar arquitectura.
4. Y aquí está Julia, la artista. A ti te gustaba dibujar y dibujabas muy bien. Me gustaba decorar las paredes con tus dibujos. Recuerdo que usabas mucho el color amarillo.

5 Audio Activities, p. 106, Actividad 5.3.
(Use after *¡Comuniquemos!,* p. 171.)
3:58 Counter no. ___

Listen to the following people recall their childhood and what roles they used to assume at play. Put the number of the statement under the name of the corresponding profession each person imagined as a child.

1. Cuando yo era niño tocaba una guitarra eléctrica imaginaria. Cantaba con el mejor grupo de rock y era muy famoso.
2. De niña yo cuidaba a mis muñecas enfermas en mi clínica. Ellas lloraban cuando les dolía el oído y yo les daba medicina.
3. Cuando era niño, yo siempre sacaba fotos con mi cámara de juguete. Sacaba fotos de animales salvajes en selvas tropicales, ¡y todo desde el patio de mi casa!

4. De niña me gustaba dar clases a mis amiguitos. Yo lo pasaba bien enfrente de la pizarra. Ellos hacían muchas preguntas, como buenos estudiantes, y yo les contestaba. Después, les daba mucha tarea.
5. De niño yo imaginaba que estaba enfrente de una cámara en Hollywood, haciendo una película de aventuras. Yo saltaba de los árboles, subía las montañas más altas y ayudaba a toda la gente.
6. De niña yo cantaba enfrente del espejo con mi vestido elegante y bonito. Mi nombre de artista era "Marianela." Mucha gente compraba discos compactos de mi música.

6 Audio Activities, p. 107, Actividad 5.4.
(Use after *Gramática en contexto,* p. 181.)
4:23 Counter no. ___

Decide if the following people are giving good advice *(buen consejo)* or bad advice *(mal consejo),* to young people. Put a check mark in the appropriate place on the grid. At the end of the activity, compare your answers with those of a partner.

1. Cada semana, yo tenía que escoger los programas de televisión que quería ver esa semana, porque no podía ver más de una hora de tele cada noche. La televisión no es buena para los jóvenes.
2. Cuando yo era joven, siempre esperaba la llamada telefónica de mi novio. ¡De ninguna manera le llamaba yo a él! Las mujeres no deben llamar a los hombres.
3. Los videos musicales no son necesarios. Cuando yo era joven, escuchaba mis canciones favoritas y usaba la imaginación para ver las canciones. Es mejor usar la imaginación.
4. Yo siempre tenía que decirles a mis padres adónde iba, con quién iba y a qué hora regresaba. Y si iba a llegar tarde, tenía que llamarles por teléfono. Es muy importante saber dónde están los hijos y qué están haciendo.
5. Mis padres eran muy buenos conmigo. Aunque trabajaban mucho y estaban muy ocupados, siempre me escuchaban. La comunicación entre padres e hijos es muy importante.
6. A mis padres no les gustaba cómo me vestía. No quería ser desobediente, pero yo me vestía como yo quería. Hay que usar ropa que a uno le guste.

Audio Activities, p. 107, Actividad 5.5.
(Use after *Gramática en contexto,* p. 181.)
4:56 Counter no. ___

Anita and Pedro are visiting Mexico and are telling some children about the television programs they used to watch in the United States when they were children. Listen to each description and identify the television program, choosing from the list below. Write the number of the description next to the name of the television program.

1. Yo siempre veía un programa que tenía un dinosaurio morado. Realmente el dinosaurio era una persona, pero dentro de un gran disfraz de peluche. Los niños en el programa cantaban con el dinosaurio, y a mí me gustaba cantar con ellos también.
2. Uno de mis programas favoritos era de las aventuras de un conejo gris muy travieso que siempre decía: "Eh, ¿qué pasa, doctor?"
3. Recuerdo un programa muy popular de tres hombres cómicos. Siempre se peleaban y era gracioso, pero a la vez era violento. No me gustaba esa parte porque algunos de mis amigos lo imitaban de verdad.
4. De pequeño yo veía un programa de un payaso muy simpático. Un payaso es una persona que se viste de muchos colores, se pone una gran nariz roja y hace cosas graciosas. El payaso de mi programa tenía el pelo anaranjado y muy grande, peinado en dos partes como alas de pájaro.
5. Cuando yo tenía tres o cuatro años, me gustaba ver un programa educativo que tenía personas hablando con criaturas y animales animados de peluche. Cantaban canciones para aprender el alfabeto y los números.
6. Otro programa favorito era de un señor que tenía su propia vecindad imaginaria. Al comienzo del programa siempre me decía, "¡Hola, vecino!" Tenía un tren de juguete eléctrico que corría por toda la vecindad.

7 ¡Vamos a leer!
Text, pp. 184–185.
2:55 Counter no. ___

CAPÍTULO 6

1 Vocabulario para conversar
Text, pp. 194–195.
7:35 Counter no. ___

2 Audio Activities, p. 108, Actividad 6.1.
(Use after *Vocabulario para conversar,* p. 197.)
3:34 Counter no. ___

Listen as three people describe celebrations they recently attended. Determine whether the speaker had a good time *(lo pasó bien)* or a bad time *(lo pasó mal)* at the celebration. Check off your answers in the correct blanks under the corresponding pictures.

1. El sábado fui a la boda de mi vecina Matilde. Todo el día llovió y hacía mucho viento y mi coche no funcionaba. Tuve que caminar. Cuando por fin llegué a la iglesia, tenía un dolor de cabeza terrible y tenía mucho frío. Sólo faltaban diez minutos para terminar la ceremonia. ¡Qué lástima que no pude llegar a tiempo!
2. El domingo fui a la fiesta de cumpleaños de mi primo Salvador. Todos mis primos estaban allí. Había tanta comida deliciosa preparada por mis tías, y un pastel de chocolate—¡mi favorito! Después Carla tocó la guitarra, cantamos y todos bailamos—¡hasta mis abuelos! Fue muy divertido.
3. El viernes fui a la graduación de mi prima Teresa. Eran muchos los que iban a graduarse, ¡por orden alfabético! Tuve que esperar tres horas para oír el nombre de Teresa Zurita, ¡el último nombre de la lista! ¡Qué aburrido!

3 Vocabulario para conversar
Text, pp. 198–199.
5:48 Counter no. ___

4 Audio Activities, p. 108, Actividad 6.2.
(Use after *Vocabulario para conversar,* p. 203.)
4:07 Counter no. ___

Listen as two women describe birthstone jewelry that they and their sisters received on their birthdays. As you listen, refer to the chart below and write the month each woman was born next to her name.

1. —¡Hola, Sra. Salgado! ¡Qué bonitos aretes!
   —Gracias. En una fiesta de sorpresa para mi cumpleaños, mi hijo me regaló estos aretes de esmeraldas. Las esmeraldas representan el mes de mi cumpleaños.
2. —Mi hermana Elizabeth recibió un collar de perlas para el Día de los Enamorados. Su novio sabía que la perla es la joya del mes de su cumpleaños.
3. —Y mi otra hermana, Gladys, nació en el mes de los diamantes. Para la Navidad mis padres le regalaron un collar con un pequeño diamante. ¡Es muy lindo!
4. —¿Y usted, profesora Nuncio? ¿Cuál es la joya de su cumpleaños?
   —Es la turquesa. Para mi cumpleaños, mis estudiantes me regalaron un collar y aretes de turquesa.
5. —El rubí representa el mes del cumpleaños de mi hermana Ana Paula. Para la fiesta de fin de año, Ana Paula llevó un reloj pulsera con un pequeño rubí en lugar del número doce.
6. —A mi otra hermana, Micaela, le encanta el aguamarina. Representa su mes. Para el Día de la Madre, su hijita le regaló unos aretes de aguamarina. ¡Qué bonitos son!

5 Audio Activities, p. 109, Actividad 6.3.
(Use after *¡Comuniquemos!,* p. 205.)
4:55 Counter no. ___

Listen as six people describe anniversary gifts. As you listen to each speaker, write the number of the anniversary *(primero, segundo, quinto, etc.)* under the corresponding picture.

1. Cuando cumplimos un año de casados, comimos un pedazo de pastel original de la boda. Le regalé a mi esposa unas hojas de papel para escribir poemas, porque el papel representa el primer aniversario de boda.
2. El algodón representa el segundo aniversario de boda. Cuando cumplimos dos años de casados, le regalé a Norman una camisa de manga larga de algodón y le saqué fotos.

3. ¡Hola, yo soy Marcos! Cuando Gladys y yo cumplimos tres años de casados, nos hicieron una gran fiesta de sorpresa. Fue en la iglesia donde nos habíamos casado y había pastel y mucha comida. La mejor sorpresa fue el regalo de un sofá de cuero. El cuero representa el tercer aniversario.
4. Esperanza y yo nos casamos hace exactamente cuatro años. Hoy ella me regaló un libro, que es el regalo tradicional para el cuarto aniversario de boda.
5. En septiembre, Miguel Ángel y yo vamos a cumplir cinco años de casados. La madera es lo que uno regala para el quinto aniversario; vamos a comprar una mesa de madera para la sala.
6. El regalo tradicional para el sexto aniversario es el azúcar. Cuando cumplimos seis años de casados, Flavio me regaló un azucarero de porcelana lleno de azúcar. Con ese azucarero, mi servicio de café está completo.

6 Audio Activities, p. 109, Actividad 6.4.
(Use after *Gramática en contexto,* p. 213.)
2:34 Counter no. ___

You don't always get what you want for your birthday! As you listen to the following statements, mark on the grid whether or not the person received what he or she wanted.

1. Alicia pidió ropa nueva y sus parientes le dieron un suéter y una falda.
2. Jorge pidió algo para divertirse y sus padres le dieron unos patines.
3. Susana pidió juguetes y su prima le dio un chaleco.
4. Toni pidió algo para su viaje de esquí y su bisabuelo le dio unos guantes.
5. Carmen pidió algo para su apartamento nuevo y su amiga le dio un impermeable.
6. José Alberto pidió un libro y sus padres le dieron un atlas del mundo.

Audio Activities, p. 110, Actividad 6.5.
(Use after *Gramática en contexto,* p. 213.)
3:11 Counter no. ___

What's your favorite holiday? Listen as three people talk about their favorite holiday. Write the number of the statement under the corresponding picture.

1. Bueno, el mejor tiempo del año es la Navidad. Me gusta ir de compras para buscar regalos ideales para mi familia y amigos. Me gustan las reuniones, las fiestas y las luces de muchos colores. Es un tiempo muy alegre.
2. La mejor celebración del año es el Día de Acción de Gracias. Mi madre prepara el mejor pavo y puedo comer todo lo que quiero. Después, todos vemos los partidos de fútbol americano en la tele. Es un día para estar con la familia, dar gracias y descansar.
3. La mejor celebración es el Día de la Independencia. Hacemos un picnic y vamos al lago. Después de un día de nadar y tomar el sol, esperamos los fuegos artificiales. Por treinta minutos, tenemos un espectáculo de luces muy bonitas, ¡y no cuesta nada verlo! Es un día de verano perfecto.

7 ¡Vamos a leer!
Text, pp. 216–217.
1:58 Counter no. ___

CAPÍTULO 7

1 Vocabulario para conversar
Text, pp. 226–227.
5:19 Counter no. ___

2 Audio Activities, p. 111, Actividad 7.1.
(Use after *Vocabulario para conversar,* p. 229.)
4:10 Counter no. ___

Listen to five teenagers talking about earning their own money and what they plan to buy. As you listen to each teen's reason for the purchase, determine whether you think the purchase is a luxury *(lujo)* or necessity *(necesidad),* and put a check mark in the corresponding blank under the picture. Be prepared to defend your answer.

1. Yo juego básquetbol y uso anteojos. Pero pronto voy a comprar unos lentes de contacto. Necesito usar lentes de contacto para jugar básquetbol. Es bastante difícil jugar básquetbol con anteojos.
2. Yo voy a comprar un anillo para mi novia Bárbara. Vamos a casarnos en julio. Mis amigos dicen que ella no necesita un anillo. Dicen que es mejor comprar un televisor, pero a mí me parece que a ella le gustaría un anillo, no un televisor.
3. Me faltan sólo mil dólares para comprar el coche que vende mi primo Joaquín. El coche es usado, en buenas condiciones y barato. En septiembre, voy a empezar un nuevo trabajo, lejos de mi casa. Por eso necesito el coche.
4. Yo necesito comprar un reloj pulsera nuevo. Perdí el reloj que usaba antes y ahora mi vida está muy desordenada. Es muy importante saber qué hora es, porque estoy tan ocupada.
5. Ya voy a poder comprar aquella pulsera de perlas con el collar. Los voy a llevar a la fiesta de Sandra el sábado. Voy a estar muy elegante.

3 Vocabulario para conversar
Text, pp. 230–231.
5:43 Counter no. ___

4 Audio Activities, p. 112, Actividad 7.2.
(Use after *Vocabulario para conversar,* p. 235.)
3:50 Counter no. ___

Listen to three teenagers trying to convince their parents to buy them their own computer. Circle the name or names of the teenager or teenagers whose parents will be buying a computer.

1. —Mamá, yo necesito mi propia computadora. Benny siempre está usando la que tenemos para jugar sus videojuegos. Yo la necesito para hacer mi tarea. Por favor, mami, cómprame una, ¿sí?
   —Mira, Angélica, las computadoras no son baratas. A mí me parece que una computadora para ustedes dos es suficiente.
2. —Mamita, tengo una buena idea. Yo quiero comprar mi propia computadora, pero no tengo suficiente dinero. Si tú pones lo que falta, la computadora puede ser tuya y mía. Puedes usarla para escribir tu novela y yo la puedo usar para hacer mi tarea.
   —Bueno, Gabriel, me parece bien. Qué bueno que estás ahorrando tu dinero. Vamos a la tienda el sábado para verlas.
3. —Papá, yo vi un programa educativo anoche sobre las computadoras. En ese programa dijeron que los estudiantes del siglo veintiuno no pueden vivir sin computadora. Nosotros no podemos vivir sin una computadora, papá. ¿Compras una?
   —Gina, todos pensamos que no podemos vivir sin algo. A mí me parece que para vivir, no necesitas ni una computadora ni otro aparato más.

5 Audio Activities, p. 112, Actividad 7.3.
(Use after *¡Comuniquemos!,* p. 237.)
2:24 Counter no. ___

Listen as Linda and Clara try to decide what to get Brenda for her wedding. From the list, cross out the items they decide not to buy and circle the two items they finally decide to buy.

—Oye, Luisa, ¿qué le vamos a regalar a Brenda para su boda?
—No sé. ¿Sabes si ella necesita algo en particular?
—Hay que comprarle algo para la casa.
—Prefiero darle algo personal: ropa, perfume . . .
—No, a mí me parece que es mejor comprar algo para la casa. La ropa y el perfume son cosas muy personales. Yo le voy a comprar un extinguidor de incendios. Es muy práctico para la cocina; ya sabes cómo cocina Brenda. Y hay otras cosas que puedes comprar para la cocina: un tostador, un microondas . . .
—¡Ay, no! Yo no tengo tanto dinero. Mejor le compro un radio pequeño para la cocina. Así escucha música mientras cocina.
—Sí, perfecto. Vamos al centro comercial ahora mismo.

6 Audio Activities, p. 113, Actividad 7.4.
(Use after *Gramática en contexto,* p. 247.)
5:27 Counter no. ___

The day of Brenda's bridal shower has arrived, and her friends are playing a game called "Guess the gift." As you listen to the clues being read from the gift tags, draw a line from the gift tag bearing the giver's name to the corresponding gift.

1. —¡Qué fiesta tan divertida! Gracias, muchachas. ¡Y cuántos regalos!
   —Espera, Brenda. Hay que jugar. Yo voy a leer la tarjeta de cada paquete y ustedes van a decir qué regalo es. Bien, aquí está tu primera tarjeta. Es de Clara. "Que el incendio del cariño sea el único fuego en la casa de ustedes."
2. Bien, muchachas, aquí va la segunda tarjeta. Es de Linda. La tarjeta dice: "Este regalo es suyo de veras. Es para que tengan comida elegante en menos de cinco minutos de espera. Y pueden usarlo ya, ¡al instante!"
3. La tercera tarjeta es de Luisa y dice así: "Enciendo el mío para escuchar bonita música para bailar."
4. Me gustó la rima tuya, Luisa. Ahora va la tarjeta número cuatro. Es de Melissa: "En el verano cuando hace calor, da mucho aire para el mal humor."
5. ¡Cuántas tarjetas tenemos aquí! Ésta es la tuya, Cristina, ¿verdad? Dice así: "Cuando electricidad no hay usa esto y luz te trae."
6. Bueno, niñas. Atención. Es la última tarjeta, de Maricruz. Dice así: "Si quieres comer tu pan tostado ponlo ya en este aparato."

Audio Activities, p. 113, Actividad 7.5.
(Use after *Gramática en contexto,* p. 247.)
3:49 Counter no. ___

Alex, Susana, and Lisa are cleaning the house one Saturday morning. As you hear each statement, look for the picture of the item being described, and circle the name of the owner.

1. —Lisa, ¿es tuya esta pulsera o es mía?
   —Es mía. La tuya es de plata.
2. —Lisa, ¿de quién son estos anteojos de sol? ¿Son tuyos o de Susana? Estaban en el baño.
   —Son de Susana. Los míos son rojos. Esos azules son suyos.
3. —Alex, encontré estas pilas en mi escritorio. ¿Son tuyas?
   —Ah, sí, gracias. Son mías. Las necesito para mi tocacintas.
4. —Susana, estos aretes estaban en la mesa. ¿Son tuyos o de Lisa?
   —Son míos. Los suyos suelen ser de plata y los míos de oro.
5. —Lisa, encontré estas llaves en el sótano, debajo de la tele. ¿Son tuyas?
   —A ver. No, no son mías. Son de Alex. El llavero mío tiene más llaves que el suyo.
6. —Susana, encontré este zapato debajo del sofá. ¿Es tuyo, de Lisa o de mamá?
   —Hmm. Mamá no usa zapatos de tacón alto. Creo que es de Lisa. ¿De qué número es? ¿Del siete? Entonces sí, es suyo.

CAPÍTULO 8

1 Vocabulario para conversar
Text, pp. 260–261.
6:12 Counter no. ___

2 Audio Activities, p. 114, Actividad 8.1.
(Use after *Vocabulario para conversar,* p. 265.)
7:52 Counter no. ___

Listen as people in a hotel call the front desk for help. As you listen to each conversation, match each caller to the spot on the map below by writing the number of the conversation in the corresponding circle.

1. —Buenos días. Hotel Santiago. Dígame.
—¡Hola! Soy el Sr. Robles en el tres cuarenta y seis. Necesito comprar un periódico de Francia.
—Para comprar periódicos de otros países, doble a la izquierda desde el hotel y siga por la calle San Juan. Pase por el semáforo. Hay un quiosco a una cuadra más en la esquina, cerca de la parada de autobuses.
2. —Buenos días. Hotel Santiago. Dígame.
—Soy la Sra. Martín en el seis veintiuno. Tengo que enviar un documento muy importante a mi oficina. Tiene que llegar mañana. ¿Dónde queda el correo?
—No está muy lejos. Saliendo del hotel, Ud. está en la calle San Juan. Doble a la derecha y siga por una cuadra hasta llegar a la avenida San José. Doble a la izquierda y siga una cuadra por la avenida San José hasta llegar a la calle Santiago. El correo está en la esquina del cruce de la calle Santiago y la Avenida San José.
3. —Buenos días. Hotel Santiago. Dígame.
—Sí, buenos días. Hoy es el aniversario de mi boda y quiero comprarle flores a mi esposa. ¿Podría decirme dónde puedo comprar unas flores?
—Sí, señor. Hay una floristería muy buena cerca del hotel. Saliendo del hotel, doble a la izquierda hasta la avenida San Felipe. No cruce la calle, sino doble a la derecha. La floristería es el segundo edificio a la derecha. Y ¡felicidades!
4. —Buenos días. Hotel Santiago. Dígame.
—Perdón señorita, tengo un terrible dolor de cabeza. ¿Estamos muy lejos de una farmacia? Necesito una aspirina.
—La farmacia está al lado del hotel. Saliendo del hotel, doble a la derecha. Espero que se sienta mejor muy pronto, señora.
5. —Buenos días. Hotel Santiago. A sus órdenes.
—¡Hola! ¿Me puede indicar dónde queda una frutería? Me gustaría una manzana o un plátano.
—Pues la frutería no queda lejos de aquí. Saliendo del hotel, doble a la izquierda y siga hasta la avenida San Felipe. Cruce la avenida en el semáforo y doble a la derecha. La frutería está al lado de una verdulería.

3 Vocabulario para conversar
Text, pp. 266–267.
6:20 Counter no. ___

4 Audio Activities, p. 115, Actividad 8.2.
(Use after *Vocabulario para conversar,* p. 271.)
2:01 Counter no. ___

A group of friends have gone to the mall and have agreed to meet in two hours at the entrance of Almacén Macías. Two friends have arrived on time, and the rest are late. As the two friends speculate on where the others might be, write the names of all the friends on the corresponding lines of the picture.

—¡Hola, Raúl! Qué bueno que llegaste a tiempo. ¿Dónde está Rosa?
—¡Qué tal, Lupe! Rosa tuvo que comprarle un regalo a su sobrino. Dijo que iba a la sección de ropa para niños. ¿Y Carlos?
—Carlos fue al baño. ¿Has visto a Francisco?
—La última vez que lo vi, estaba esperando el ascensor.
—¿Quién falta? ¡Elsa! ¿Dónde está Elsa? Estaba conmigo hace cinco minutos.
—Mírala, allí está, en el mostrador de joyas.

5 Audio Activities, p. 115, Actividad 8.3.
(Use after *¡Comuniquemos!,* p. 273.)
3:26 Counter no. ___

Listen as people ask for directions. As you hear each conversation, determine how the person will get to his or her destination, and put a check mark on the corresponding spot on the grid.

1. —Perdón, caballero. ¿Podría decirme cómo llegar a la famosa panadería Tres Américas?
—Claro que sí, señorita. Ahí se vende pan para el Día de los Muertos. Se puede ir a pie. Está a tres cuadras de aquí. Mire, siga . . .

2. —Perdón, señor. Podría indicarme cómo llegar a la carretera que va al aeropuerto?
   —¡Sí, cómo no! Siga por esta misma calle. Pronto va a ver el letrero que dice "Carretera cincuenta y dos." Esa carretera lo lleva al aeropuerto.
3. —Perdón, señorita. Me gustaría ir al Museo de La Raza. ¿Podría indicarme cómo llegar?
   —¡Sí, cómo no, joven! Puedes tomar el autobús número ciento tres, en esta misma esquina. Ése te lleva directamente al museo.
4. —Perdón. ¿Dónde queda la sección de ropa para caballeros?
   —Está en el segundo piso, señor. Puede tomar el ascensor que está al fondo.

6 Audio Activities, p. 116, Actividad 8.4.
(Use after *Gramática en contexto,* p. 283.)
2:46 Counter no. ___

Since Carolina and Patricia are best friends, Carolina was a bit surprised when Patricia was invited to a party and she wasn't. Read the questions below, and then listen to their conversation about the party. Circle the correct answer from among the three choices given.

—¿Fuiste a una fiesta, Patricia? ¿Cuál fue la ocasión? ¿Alguien cumplió años?
—No, nadie cumplió años. Fue fiesta de aniversario de los padres de Juanita, una compañera de mi clase de historia. Hace poco que llegó desde Colombia.
—¡Ah! ¿Y conocías a algún otro invitado?
—Pues, no. No conocía a ningún otro invitado. No fue nadie de la escuela. Sólo fue la familia de Juanita. Juanita es muy tímida y nunca habla con nadie. Bueno, conmigo sí habla. Siempre es muy amable.
—¿Y qué comieron? ¿Sirvieron algo de chocolate?
—No, no había nada de chocolate. Comimos enchiladas de pollo, ensalada y frijoles. ¡Todo estaba muy delicioso!
—Ah, pues me gustaría conocer a Juanita. No hemos hablado nunca, ¡pero siempre hay una primera vez!

Audio Activities, p. 116, Actividad 8.5.
(Use after *Gramática en contexto,* p. 283.)
2:07 Counter no. ___

As you listen to each of the following statements, decide whether it is a myth *(mito)* or fact *(hecho)*. Place a check mark on the corresponding spot on the grid.

1. Se puede ver a mucha gente famosa en Hollywood.
2. Se venden sólo tacos y burritos en los restaurantes mexicanos.
3. En los Estados Unidos se comen muchas comidas de otros países.
4. En la América Latina, sólo se habla español.
5. Se requiere tener dieciocho años para votar en los Estados Unidos.
6. En Brasil se habla portugués.

CAPÍTULO 9

1 Vocabulario para conversar
Text, pp. 296–297.
6:01 Counter no. ___

2 Audio Activities, p. 117, Actividad 9.1.
(Use after *Vocabulario para conversar,* p. 299.)
2:35 Counter no. ___

Hector's best friend, Mario, has had an accident. Listen to their phone conversation, and as you hear about Mario's accident, draw a circle around the pictures that refer to his accident and the treatment.

—¡Hola, Mario! Habla Héctor. Oye, ¿qué te pasó?
—Ay, hombre, tuve un accidente ayer. Me caí de la motocicleta enfrente de la casa de Monserrat Toledo, y ella llamó a la ambulancia. El doctor me sacó radiografías. Lo bueno es que sólo me rompí el pie y el tobillo. Me duele mucho, por supuesto. Creo que ya es hora de ponerme la inyección para el dolor.
—Pues menos mal que no te pasó nada serio. ¡Qué bueno que siempre usas casco! ¿Cuándo sales del hospital?
—Creo que pasado mañana salgo de aquí. Voy a usar muletas por unos tres meses.
—Bueno, pórtate bien. No molestes mucho a los doctores. Más tarde voy a verte, ¿de acuerdo?
—Tú sabes que siempre me porto bien. Hasta luego.

3 Vocabulario para conversar
Text, pp. 300–301.
6:07 Counter no. ___

4 Audio Activities, p. 117, Actividad 9.2.
(Use after *Vocabulario para conversar,* p. 305.)
2:28 Counter no. ___

Many people believe that home remedies can provide a cure for just about any ailment. As you listen to the following statements about home remedies, match each ailment to its remedy by placing a check mark on the corresponding spot on the grid.

1. Para la reacción que produce en la piel una picadura de insecto, el extracto de áloe vera es muy bueno.
2. El remedio para el dolor de la garganta lo produce una abeja. Una cucharada de miel con limón puede ser tan efectiva como una pastilla para la garganta.
3. Si le duele el estómago, comiendo un plátano puede ayudarle a sentirse mejor.
4. ¿Se rompió el tobillo? ¿Tiene una fractura? Es importante tomar mucho calcio para formar huesos fuertes. La leche es un producto que contiene mucho calcio.

5 Audio Activities, p. 118, Actividad 9.3.
(Use after *¡Comuniquemos!,* p. 307.)
4:08 Counter no. ___

Listen to the following people describe their symptoms to their doctor. Determine what the cause of their ailment might be, and write the number of the statement on the blank under the corresponding picture.

1. —Doctora, no sé qué me pasa. Me duele mucho el estómago y hace ocho horas que estoy vomitando.
   —Hmm. ¿Qué comiste anoche?
   —A ver . . . comí sopa de mariscos en un restaurante del centro.
2. —Ay, doctora. A mi hija le picó una abeja hace dos horas. Ahora tiene fiebre y mucho dolor.
   —Parece que la niña tiene una reacción fuerte a la picadura. Le voy a dar una receta para reducir la fiebre.
3. —Doctora, cada vez que sacudo los muebles, estornudo mucho y me lloran los ojos.
   —A mí me parece que eres alérgica al polvo. Esta receta es para unas pastillas que te van a ayudar.
4. —Es primavera, doctora, y las flores están saliendo. Por eso estornudo tanto, ¿verdad?
   —Sí, mucha gente es alérgica al polen en la primavera. Te voy a dar unas pastillas para la alergia.
5. —Hace dos días que uso lentes de contacto. ¡Cómo me molestan! Los ojos me duelen mucho.
   —Tus ojos están demasiado secos. Te voy a recetar unas gotas para los ojos. Creo que con estas gotas, los lentes de contacto ya no te van a molestar.

6 Audio Activities, p. 118, Actividad 9.4.
(Use after *Gramática en contexto,* p. 317.)
2:17 Counter no. ___

A group of friends was recalling what each was doing when the police arrived at the scene of an accident. Write the number of the statement in the corresponding circle in the picture below.

1. Cuando la policía llegó, yo estaba buscando mi carnet de identidad.
2. Yo pensé que era importante tener los nombres de todos los que vieron el accidente. Por eso estaba tomando la información de la señora cuando llegó la policía.
3. Cuando llegó la policía, yo estaba hablando con la víctima en el coche. Ella se sentía mal.
4. Yo tenía mucho miedo. Por eso estaba llorando cuando llegó la policía.
5. Yo estaba corriendo al teléfono para llamar a los padres de la víctima cuando llegó la policía.

Audio Activities, p. 119, Actividad 9.5.
(Use after *Gramática en contexto,* p. 317.)
3:45 Counter no. ___

The Martínez family is just about to leave for a family reunion. As they gather a few last-minute items before heading out, indicate where those items can be found by drawing a line from the item to the corresponding spot on the picture.

1. —¡Ya vámonos, familia! Estela, ¿dónde pusiste mis gotas para los ojos? No las veo.
—Se cayeron de la mesa y Claudia las puso cerca del fregadero, al lado de ese vaso. ¿Las ves?
2. —Eladio, ¿dónde pusiste la medicina de Claudia que recogiste de la farmacia?
—La puse en el refrigerador, como me dijo el doctor.
3. —Mamá, ¿dónde pusiste el repelente? Los mosquitos son horribles en ese parque.
—Ah, mira, lo puse allí en la mesa. Llévatelo, por favor, Claudia.
4. —¡Vaya! ¿Dónde puse mis anteojos? ¡Ya los perdí otra vez!
—Ahí están, Eladio, donde los pones siempre: al lado de la estufa, allí, a la derecha.
5. —Ahora sí nos podemos ir. ¿Y mis llaves? ¿Dónde puse esas llaves?
—Papá, estabas afeitándote cuando los gemelos las sacaron de tu chaqueta. Mira, aquí están. Las pusieron debajo de esta silla.

7 ¡Vamos a leer!
Text, pp. 320–321.
1:09 Counter no. ___

CAPÍTULO 10

1 Vocabulario para conversar
Text, pp. 330–331.
8:07 Counter no. ___

2 Audio Activities, p. 120, Actividad 10.1.
(Use after *Vocabulario para conversar,* p. 335.)
2:57 Counter no. ___

The senior class committee is trying to decide on the cast of a skit being planned for Homecoming. Match the name of the person with his or her role by placing a check mark on the corresponding spot on the grid.

—Este drama se trata de unos novios, y otra muchacha que está tan obsesionada por el muchacho que trata de matar a la novia de él.
—Bien. Para hacer el papel de la heroína, o sea la novia del muchacho, pienso que Sofía es la mujer adecuada. Es la muchacha más simpática de la escuela y es muy buena actriz.
—De acuerdo. Y su galán puede ser Fernando; es su novio en realidad. Puede ser un papel muy fácil para él.
—Sí, y además Fernando es muy guapo. Para el papel de la criminal que trata de matar a la heroína, yo creo que Verónica puede dar la mejor actuación.
—Sí, tienes razón. Para hacer el papel del detective que investiga el crimen contra la heroína, Joel es perfecto. Para dirigirlo todo, yo recomiendo a Antonio. Él fue director del último programa que presentamos y lo hizo muy bien.
—Sí. ¿Todos estamos de acuerdo? Bien, muchachos, hay que escribir el guión.

3 Vocabulario para conversar
Text, pp. 336–337.
5:39 Counter no. ___

4 Audio Activities, p. 120, Actividad 10.2.
(Use after *Vocabulario para conversar,* p. 339.)
3:51 Counter no. ___

As you listen to the following excerpts from the evening news, write the number of the excerpt under the corresponding picture.

1. . . . y las últimas noticias de hoy. En el norte, la erupción del volcán San Esteban ha destruido el pueblo al pie del volcán. Mucha gente está sin hogar. La Cruz Roja está aceptando donaciones y ayuda . . .
2. Ahora tenemos noticias acerca del huracán Felipe. Felipe ahora está pasando por la parte sur del estado, con una velocidad de ciento veinte kilómetros por hora.
3. Y ahora el pronóstico del tiempo. Mañana se espera un día lluvioso y frío, con una tormenta por la tarde.
4. En el norte del estado, la gente se está recuperando del terremoto de ayer, que destruyó más de doscientas casas y edificios.
5. La inundación en la parte oeste de la ciudad es la más seria que han visto los residentes de esa área en muchos años. Las fuertes lluvias pronosticadas para mañana . . .
6. Un derrumbe dañó la carretera principal muy temprano esta mañana. No había nada en la carretera cuando ocurrió el derrumbe, pero los que trabajan en el centro no pueden llegar a su trabajo, y . . .

5 Audio Activities, p. 121, Actividad 10.3.
(Use after *¡Comuniquemos!,* p. 341.)
4:53 Counter no. ___

Listen to the following descriptions of popular movies. Write the number of the description in the circle by the corresponding name of the movie.

1. Esta película es sobre las aventuras de Simba, un león travieso. Con la muerte de su padre, la vida del joven Simba toma otro camino. La película tiene música del cantante Elton John.
2. Esta película es una adaptación de una novela de Louisa May Alcott. Se trata de las vidas de unas adolescentes, Jo, Meg, Amy y Beth. En la versión de mil novecientos noventa y cuatro, Winona Ryder hace el papel de Jo y Susan Sarandon hace el papel de la madre de las jóvenes.
3. Esta película de Walt Disney cuenta las aventuras de Mowgli, un niño que vive en la selva entre lobos. En su versión original, esta película fue hecha con dibujos animados.
4. Esta película cuenta la historia de una mujer de carácter fuerte y su único amigo, su simpático chofer que la lleva a todas partes. Jessica Tandy hace el papel de la mujer y Morgan Freeman hace el papel de su chofer.
5. Kevin Costner fue director y actor de esta película del oeste que ganó siete premios "Óscar." Es la historia de un hombre blanco que se hace amigo de los Indios Sioux. Mary McDonnell hace el papel de "Stands with a Fist," la heroína de la película.
6. En esta película, una familia se va de vacaciones y olvidan a su hijo Kevin (Macaulay Culkin) en la casa. Cuando unos ladrones entran a su casa a robar, Kevin se defiende de maneras muy inteligentes.

6 Audio Activities, p. 122, Actividad 10.4.
(Use after *Gramática en contexto,* p. 351.)
3:10 Counter no. ___

A mild earthquake gave your town quite a scare last night, and everyone is talking about what they were doing when it hit. As you hear each statement, put the number of the statement under the corresponding picture.

1. ¡Qué miedo sentí anoche! Estaba duchándome cuando empezó el terremoto. Inmediatamente apagué el agua, salí del baño y corrí a buscar a mi hermana.
2. Sí, yo también sentí miedo. Yo juego bolos los martes y estaba jugando bolos cuando sentí el terremoto. ¡Todos los bolos del lugar se cayeron al mismo tiempo!
3. Pues yo estaba lavándome la cara cuando sentí que iba a caerme. Después de unos diez segundos, había agua por todo el piso.
4. Yo estaba haciendo un rompecabezas; estaba casi completo cuando el rompecabezas empezó a caerse de la mesa.
5. Elio y yo estábamos pasándolo bien, jugando damas. ¡No sabíamos qué hacer cuando los libros empezaron a caerse de la pared!

Audio Activities, p. 122, Actividad 10.5.
(Use after *Gramática en contexto,* p. 351.)
4:05 Counter no. ___

Report cards are out and everyone in class is talking about their parents' reaction to his or her grades. As you listen to each statement, determine whether the reaction was positive *(positiva)* or negative *(negativa)*. Put a check mark in the corresponding spot on the grid.

1. Mis padres están contentos con mis notas este semestre. Me dijeron: —Muy bien, Mario. Sólo tienes que mejorar un poco más en la clase de álgebra, pero en general, tus notas están muy bien. Te dijimos que podías mejorar tus notas y lo hiciste.
2. Vaya, pues mi padre estaba trabajando cuando le mostré mis notas a mi madre. Ella me dijo: —Esther, yo sé que puedes sacar mejores notas que éstas. ¿Qué pasó? Y luego llamó a mi padre por teléfono. Pobre de mí cuando llegó de trabajar.
3. Yo tampoco saqué buenas notas esta vez. —Benjamín —me dijo mi madre—, es el mismo problema de siempre. Tú dijiste que ibas a estudiar más. ¿Por qué no lo hiciste?
4. Yo sí estudié mucho y saqué buenas notas. Mi mamá dijo: —Amanda, ¡felicidades!— y nos fuimos a cenar a mi restaurante favorito.
5. Pues yo les dije a mis padres que tenía una gran sorpresa. ¡Es la primera vez que saco notas excelentes! Mi madre estaba tan contenta que dijo: —¡Gregorio! ¡Tus notas están mucho mejor que las del semestre pasado! ¡Son perfectas! ¡Qué bueno, hijo!

CAPÍTULO 11

1 Vocabulario para conversar
Text, pp. 364–365.
6:32 Counter no. ___

2 Audio Activities, p. 123, Actividad 11.1.
(Use after *Vocabulario para conversar,* p. 369.)
5:11 Counter no. ___

Listen to the following students describe their interests and talents, then match them up with their ideal career by writing the number of the statement under the corresponding picture.

1. ¡Hola!, yo soy Mauricio. Todos dicen que tengo talento musical. Yo sé tocar varios instrumentos musicales y toco en la banda de la escuela. Me gusta escribir mi propia música y normalmente practico por una hora al día.
2. Yo me llamo Clara. Me fascinan los coches deportivos. Quisiera tener mi propio garaje para reparar estos coches. Será mi especialidad. Mi madre prefiere que yo estudie arte, pero a mí no me interesa el arte.
3. Yo quisiera ganarme la vida trabajando con los animales. Todos los veranos voy a visitar a mis abuelos. Ellos tienen caballos, vacas, perros y gatos. Me gusta cuidar a los animales y estar con ellos todo el tiempo.
4. Soy presidenta del consejo estudiantil. Me gusta la política y quiero servir a la comunidad. Yo puedo hacer cambios positivos para beneficiar a la comunidad.
5. Yo lo paso bien escribiendo. Escribo para el periódico de la escuela y también me gusta escribir poesía. En la universidad voy a estudiar inglés y literatura para aprender a escribir mejor. Quisiera ganarme la vida escribiendo novelas.
6. Mis profesores de arte dicen que yo dibujo y pinto muy bien. Quisiera estudiar arte en la universidad. Quizás en el futuro podrán ver mis dibujos y pinturas en los libros escolares.

3 Vocabulario para conversar
Text, pp. 370–371.
6:23 Counter no. ___

4 Audio Activities, p. 124, Actividad 11.2.
(Use after *Vocabulario para conversar,* p. 373.)
3:55 Counter no. ___

Are you an optimist or a pessimist? As you listen to each of the following statements about the future, determine whether the speaker is an optimist or a pessimist, and place a check mark in the corresponding spot on the grid.

1. Yo creo que en el futuro habrá bastante comida para todos en nuestro planeta porque los científicos descubrirán mejores métodos para cultivar las plantas.
2. Yo creo que habrá una guerra que terminará con nuestra civilización. Siempre existirán personas agresivas y malas.
3. Yo creo que habrá ríos más contaminados por las fábricas. Desafortunadamente, siempre habrá personas que pensarán que el dinero es más importante que el medio ambiente.
4. Yo creo que habrá paz si hay cooperación entre todos los líderes mundiales.
5. Yo creo que no habrá problemas de tráfico porque tendremos nuevos métodos de viajar.
6. Yo creo que las familias viajarán a la Luna de vacaciones en el verano y no costará mucho dinero hacerlo.
7. Yo creo que no necesitaremos ir a la escuela para aprender. Con una computadora en casa podremos hacerlo.
8. Yo creo que los océanos cubrirán toda la Tierra y todos moriremos.

5 Audio Activities, p. 124, Actividad 11.3.
(Use after *¡Comuniquemos!,* p. 375.)
2:48 Counter no. ___

A robot can do many things to make our lives more efficient, but there are some things only human beings can do. As you listen to the following statements, determine whether or not the statement can be applied to robots, and place a check mark in the appropriate spot on the grid.

1. Se aburre cuando escucha hablar a una persona por muchas horas.
2. Se divierte bailando salsa con sus amigos.
3. Es muy eficiente cortando verduras en una fábrica procesadora de comida.
4. Enciende la televisión en una hora determinada.
5. Cuando mira una película muy triste, empieza a llorar.
6. Pasa la aspiradora por la sala a las tres de la tarde cada martes.
7. Saca a pasear a la mascota todos los días por la mañana.
8. En una clase aburrida, se duerme.

6 Audio Activities, p. 125, Actividad 11.4.
(Use after *Gramática en contexto,* p. 383.)
2:44 Counter no. ___

Having a steady boyfriend or girlfriend can have its advantages and disadvantages. As you listen to these teenagers expressing their attitudes about steady dating, determine whether the statement reflects an advantage or disadvantage to dating just one person, and place a check mark in the corresponding spot on the grid.

1. Perderás muchas amistades si dedicas tanto tiempo a sólo una persona.
2. Alguien te escuchará y te comprenderá cuando tienes problemas.
3. Te aburrirás si estás siempre con la misma persona.
4. Tendrás que gastar mucho dinero para ir al cine o a un restaurante.
5. Nunca te sentirás sola.
6. No podrás hablar con otra muchacha o con otro muchacho en una fiesta.
7. Podrás salir a bailar cada fin de semana.
8. Podrás usar su chaqueta.

Audio Activities, p. 125, Actividad 11.5.
(Use after *Gramática en contexto,* p. 383.)
3:46 Counter no. ___

As part of career week at school, four professionals from the community have been invited to speak about their profession. As you hear each presentation, match the speaker to his or her profession by drawing a line from the person's name to the corresponding picture.

1. Buenos días, estudiantes. Yo me llamo José Ignacio Barragán y canto con un grupo que se llama Folklore Peruano. Nuestro último disco compacto se llama *Canciones andinas,* una colección de canciones típicas de Perú. Estudié canto por muchos años en el Conservatorio de música.
2. Buenos días jóvenes. Me llamo María Elena Lomelí. Para prepararme para mi profesión, pasé muchas horas en la biblioteca de la universidad. Todos los días voy a corte y presento mis casos ante el juez.

3. ¡Hola! Soy Maripaz Bernabé y me gano la vida bailando. Soy miembro de la Compañía de danza Santibáñez, que cuenta con ciento cincuenta miembros. Este sábado tendremos una presentación en el Estadio Gigante.
4. ¡Hola, jóvenes! Me llamo Luis Francisco Salamanca. En la universidad estudié administración de negocios. Ahora soy asistente de compras en la compañía de juguetes Bebé Bonito.

CAPÍTULO 12

1 Vocabulario para conversar
Text, pp. 396–397.
7:50 Counter no. ___

2 Audio Activities, p. 126, Actividad 12.1.
(Use after *Vocabulario para conversar,* p. 401.)
3:51 Counter no. ___

People sometimes encounter difficulties while traveling. As you listen to each of these three people, determine what his or her problem is, and then circle the appropriate answer.

1. Soy el Sr. Machado. Yo conseguí este boleto de ida y vuelta para Caracas. Y le dije al agente de viajes que necesitaba llegar antes de las ocho de la mañana. Me parece que este vuelo no llega hasta las once. Es imposible. ¡Tengo una reunión muy importante! Tengo que llegar a tiempo.
2. Soy la Sra. Manizales. Estamos con el grupo del vuelo procedente de San Juan, Puerto Rico. Mi hija puso su oso de peluche en un asiento del avión. Ella pensaba que su amigo necesitaba abrocharse el cinturón de seguridad también. Pero el problema es que el oso todavía está en el avión. Mi hija estaba tan emocionada cuando llegamos aquí que lo olvidó.
3. Soy el Sr. Gallardo. ¡Este aeropuerto es horrible! Pasé treinta minutos buscando mis maletas en la terminal de equipaje. La línea aérea perdió una de mis maletas. En la aduana, tuve que deshacer mi maleta frente al aduanero. ¡Él me habló como si fuera un criminal! Yo no soy un criminal. Soy un turista.

3 Vocabulario para conversar
Text, pp. 402–403.
5:30 Counter no. ___

4 Audio Activities, p. 126, Actividad 12.2.
(Use after *Vocabulario para conversar,* p. 405.)
2:16 Counter no. ___

Listen as several tourists in Guadalajara request information while vacationing. As you listen to each tourist's question, write the number of the question under the picture that represents the answer.

1. Perdón. Necesito un mapa para saber dónde están los lugares de interés en este pueblo. ¿Dónde puedo conseguir una guía?
2. Necesito hacer una llamada a los Estados Unidos. ¿Adónde puedo ir?
3. ¡Ay, qué bonita artesanía, Jorge! ¿Dónde la compraste?
4. Ya no tengo pesos y el banco está cerrado. Ahora, ¿adónde voy a cambiar mis dólares?
5. ¡Qué pueblo tan pintoresco! ¿Con quién puedo ir de excursión?

5 Audio Activities, p. 127, Actividad 12.3.
(Use after *¡Comuniquemos!,* p. 407.)
2:50 Counter no. ___

Read the list of features offered by the resort hotel Solimar. As each person mentions the characteristics of his or her ideal vacation, see if the hotel has them. If so, place a check mark in the corresponding box. Then answer the question below the grid.

1. ¡Hola, yo soy Milly! Cuando voy de vacaciones lo que más me interesa es montar a caballo. Busco un hotel sencillo con caminos en el bosque. Me gusta montar a caballo.
2. Mi nombre es Vidal. A mí me gusta visitar las ciudades grandes como Nueva York, para ver muchas obras de teatro. También me gusta ir a los museos de arte y a los conciertos de música clásica. Y por supuesto, el hotel debe estar en el centro de la ciudad.
3. Me llamo Sofía y a mí me gustaría ir de vacaciones a un lugar con clima tropical. Busco un hotel cerca del mar con habitaciones grandes y aire acondicionado. El hotel ideal debe servir comida buena y tener un salón de baile, porque a mí me encanta bailar.

6 Audio Activities, p. 127, Actividad 12.4.
(Use after *Gramática en contexto,* p. 415.)
1:47 Counter no. ___

Listen to the following travel tips. Write the number of the statement under the corresponding picture.

1. El vuelo a Acapulco es muy popular. Haz tus reservaciones inmediatamente.
2. Factura tu equipaje por lo menos dos horas antes de despegar el avión.
3. En tu habitación del hotel cierra la puerta con llave cuando salgas.
4. ¡La artesanía de ese pueblo es muy bonita! No olvides regatear en el mercado al comprarla.

Audio Activities, p. 128, Actividad 12.5.
(Use after *Gramática en contexto,* p. 415.)
3:20 Counter no. ___

Listen as Carlos describes a trip he took recently to Spain. As you hear his comments about his stay at El Hotel Sevilla, fill out the questionnaire requested by the hotel management.

—Diga.
—Buenos días, Andrés. Soy Carlos. Estoy aquí en mi oficina.
—¡Buenos días, Carlos! ¿Cómo lo pasaste en Madrid?
—Muy bien.
—¿Y el hotel?
—Hombre, bastante bien. Los empleados del hotel eran muy amables y el servicio bueno.
—¿Y la habitación?
—Era pequeña, pero muy limpia. ¡La limpiaban dos veces al día! Lo único sucio del hotel eran las áreas públicas. Siempre estaban muy desordenadas. Daban un aspecto muy malo.
—¿Comías en el restaurante del hotel o comías afuera?
—No había necesidad de buscar otro restaurante. El restaurante del hotel servía comida muy deliciosa.
—Pues, hablando de comida deliciosa: ¿por qué no vienen a la casa tú y Sandra esta noche? Celina va a cocinar su famosa paella.
—¡Qué rico! Allí estaremos.

CAPÍTULO 13

1 Vocabulario para conversar
Text, pp. 428–429.
6:15 Counter no. ___

2 Audio Activities, p. 129, Actividad 13.1.
(Use after *Vocabulario para conversar,* p. 433.)
2:51 Counter no. ___

Sra. Ibarra is planning a homecoming dinner for Álvaro, who has completed his semester abroad. Listen to Sra. Ibarra plan the dinner with her daughter, Araceli. Draw a circle around the items that will be on the menu.

—El sábado llega Álvaro. Hay que preparar una cena para toda la familia.
—¿Hacemos barbacoa?
—No, todavía hace mucho frío.
—Hay que servir camarones.
—No, los camarones le hacen daño a tu papá. Mejor hacemos pollo.
—¿Cómo lo preparamos? ¿En sopa? ¿Frito?
—El pollo frito es muy grasoso; mejor al horno. También hay que servir verduras. ¿Zanahorias?
—No, las zanahorias no van con ese platillo.
—¿Espinacas?
—¡No, qué asco!
—Entonces espárragos; son elegantes y deliciosos. Los servimos con una salsa de mayonesa y limón.
—Perfecto. ¿Y de postre?
—Frutas; son buenas para mantenerse sano.
—Puedo hacer un flan.
—No, es mucho trabajo. Mejor frutas.

3 Vocabulario para conversar
Text, pp. 434–435.
5:39 Counter no. ___

4 Audio Activities, p. 129, Actividad 13.2.
(Use after *Vocabulario para conversar,* p. 438.)
2:42 Counter no. ___

The day of Álvaro's dinner has arrived, and the kitchen is bustling with activity. Listen as the Ibarra family prepares the dinner, and fill in the grid with the information about the potato salad and the fruit salad that will be served.

—A ver, mamá. ¿Con qué te ayudo? Ya me lavé las manos.
—Ayúdame a preparar la ensalada de papa, hija. Es perfecta para comer con pollo al horno. Primero hay que hervir las papas y los huevos. Mientras hierven, pica un pimiento verde. Después mezcla todo con mayonesa y mostaza.
—Hmmm. Yo creo que no voy a comer ensalada de papa. Estoy siguiendo una dieta baja en grasa.
—Bueno, entonces hay que preparar una ensalada de frutas también. Es perfecta para una dieta baja en grasa. Primero hay que cortar la fruta. En el refrigerador hay piña, fresas, melón, sandía y uvas. Después mezclamos la fruta con un poco de salsa dulce.

5 Audio Activities, p. 130, Actividad 13.3.
(Use after *¡Comuniquemos!,* p. 439.)
2:42 Counter no. ___

Many restaurants in Spain offer a *menú del día.* Listen as a waiter at the Restaurante El Flamingo describes the choices available that night. Within each food category, circle the picture described by the waiter.

—Muy buenas noches. Quisiera sugerir algo de nuestro menú del día. Para las tapas, les ofrecemos una tortilla española o jamón con melón.
—¿Y de qué es la tortilla?
—Es de cebolla y pimientos verdes.
El jamón con melón es muy sabroso también. Además, tenemos espárrago blanco con dos salsas o patatas asadas.
—Me encanta el espárrago de España.
—Sí, es muy bueno. En el plato principal ofrecemos paella o empanadas.
—¿Es paella valenciana?
—Sí, señor. Es muy rica.
—¿Y de qué es el relleno de la empanada?
—Es de carne, queso y pollo. Y para beber, hay refresco o café. Y de postre . . . una tarta de fresa o fruta fresca. Hoy tenemos piña y melón. ¿Qué les traigo?

6 Audio Activities, p. 131, Actividad 13.4.
(Use after *Gramática en contexto,* p. 447.)
5:18 Counter no. ___

Gustavo, who recently moved into his own apartment, is tired of eating canned and frozen food and wants to start cooking his own meals. Listen to his sister Valeria giving him cooking instructions over the phone for various meals. For each conversation, circle the picture of what Gustavo will be cooking.

1. —Bueno.
—Hola, hermanita. ¿Qué hago para la cena? En el refrigerador sólo hay una pierna de pollo, una zanahoria, una papa y una cebolla.
—Bueno, Gustavo, tienes todos los ingredientes para hacer una buena sopa de pollo. Es importante que primero laves bien el pollo y las verduras. Después . . .

2. —Bueno.
—¡Qué tal, Valeria! Mira, invité a unos amigos a desayunar el sábado. Recomiéndame algo que pueda cocinar sin estar toda la mañana en la cocina.
—Para un desayuno fácil pero delicioso, te recomiendo que sirvas huevos rancheros con tortillas.
—¡Qué rico! ¿Uso tortillas de harina?
—No. Es mejor que uses tortillas de maíz. Caliéntalas en un poco de aceite y luego fríe los huevos en el mismo aceite. Pon dos huevos fritos encima de una tortilla frita. Calienta un poco de salsa picante enlatada y ponla encima de los huevos. Y ya.

3. —Bueno.
—Valeria, tengo un paquete de tortillas, un poco de queso y unos chiles. ¿Es suficiente para que haga chiles rellenos?
—Ay, Gustavo. No creo que puedas hacer chiles rellenos. Los chiles rellenos se hacen con harina y huevos también. Te sugiero que mejor hagas quesadillas, usando el queso y las tortillas.

Audio Activities, p. 131, Actividad 13.5.
(Use after *Gramática en contexto,* p. 447.)
5:37 Counter no. ___

As part of *Semana Sana* at school, Patricia Bermúdez, a nutritionist, has been invited to speak to your class. As you listen to Patricia answering students' questions, determine whether the following statements are true *(verdadero)* or false *(falso),* and put a check mark in the corresponding box.

1. —Doctora, yo sé que debo eliminar la grasa de mi dieta, pero no me gusta nada el sabor de los productos sin grasa, como el yogur.
   —Bueno, no es necesario que elimines la grasa totalmente de tu dieta. Puedes comer productos bajos en grasa. El cuerpo necesita un poco de grasa para mantenerse sano.
2. —Doctora, yo soy Luisa. A mí me encanta la pizza. Yo quisiera comer pizza todo el día. Pero la pizza contiene mucha grasa, ¿verdad?
   —Bueno, Luisa, es posible que la pizza tenga mucha grasa si está hecha con mucho chorizo y queso. Si te gusta tanto la pizza, te sugiero que mejor comas pizza con menos queso y más verduras.
3. —Doctora Bermúdez, soy Manuel. Mi abuela quiere que yo coma tres comidas al día, pero a mí no me gusta comer tres comidas al día. Prefiero comer cuando tengo hambre.
   —Y haces bien, Manuel. Según los expertos, es mejor que comamos varias comidas pequeñas en vez de tres comidas grandes. Pero te recomiendo que desayunes cada mañana.
4. —Doctora, yo pienso que puedo comer todo lo que quiera. Si hago ejercicio todos los días por una hora o más, no importa lo que coma.
   —Bueno, para mantenerte sana, es mejor que sigas una dieta balanceada. No es necesario que hagas ejercicio por una hora o más; media hora al día es suficiente.
5. —Me gustaría eliminar la carne de mi dieta. Si no como carne, ¿qué puedo comer para que no me falte proteína?
   —No es necesario que comas carne para que tu dieta tenga proteína. Los frijoles y los guisantes contienen mucha proteína.

CAPÍTULO 14

1 Vocabulario para conversar
Text, pp. 460–461.
6:16 Counter no. ___

2 Audio Activities, p. 132, Actividad 14.1.
(Use after *Vocabulario para conversar,* p. 465.)
2:33 Counter no. ___

The junior class has gone on a camping trip. As you listen to the scattered conversations throughout the campsite, write the number of each conversation under the corresponding picture.

1. —¡Uf! ¡Qué pesada está esta piedra! Ayúdame a moverla, por favor.
   —Está bien. Uno . . . dos . . . TRES.
2. —Santiago y yo vamos a dar una caminata. Regresamos dentro de una hora.
   —Está bien, pero tengan cuidado y sigan por este mismo sendero.
3. —Hay que poner la tienda de acampar aquí, cerca de estos árboles.
   —Muy bien. De acuerdo.
4. —Señor Aguilar, hay que preparar una sopa para la cena.
   —Sí, hay que usar esta olla especial para la cocina al aire libre.

3 Vocabulario para conversar
Text, pp. 466–467.
6:35 Counter no. ___

4 Audio Activities, p. 133, Actividad 14.2.
(Use after *Vocabulario para conversar,* p. 470.)
3:10 Counter no. ___

Listen to these radio advertisements for two different vacation spots. As you listen to the features offered at each place, place the number of the advertisement under the corresponding pictures.

1. El Campamento de la Luna es mucho más que un campamento ordinario: ¡es una aventura! El campamento está cerca de un lago extraordinario para que Ud. pueda disfrutar de sus deportes acuáticos favoritos. Puede navegar en balsa, hacer surf de vela, hacer moto acuática y hacer esquí acuático en nuestro bello lago de color azul claro y cristalino. ¡Haga su reservación ahora!

2. Pase sus próximas vacaciones en un paraíso: venga al Parque Nacional del Pacífico. Este otoño es el tiempo perfecto para ver los árboles vestidos de gala, con hojas de colores espectaculares. Venga a dar una caminata por los bosques del parque. Disfrute comidas deliciosas cocinadas al aire libre. Escale las montañas magníficas, ¡una experiencia inolvidable! ¡Venga a vernos pronto!

5 Audio Activities, p. 133, Actividad 14.3.
(Use after *¡Comuniquemos!,* p. 471.)
3:05 Counter no. ___

Try your hand at animal trivia! Which animal lives the longest? What is the most popular name for dogs in the United States? Listen to the following questions and write your answers in the grid below.

1. ¿Qué animal vive más tiempo, el elefante o la ballena?
2. ¿Qué mascotas son más populares en los Estados Unidos, los pájaros o los peces?
3. ¿Cuál de estas dos serpientes es más venenosa, la serpiente tigre de Australia o la cobra de África?
4. ¿Qué animal corre más rápido, el caballo o el venado?
5. ¿Qué animal es más perezoso, la ardilla o el cerdo?
6. ¿Qué nombre de perro es más popular en los Estados Unidos, King o Duke?
7. ¿En qué son diferentes un perro y un lobo, en los ojos o en las orejas?

6 Audio Activities, p. 134, Actividad 14.4.
(Use after *Gramática en contexto,* p. 479.)
3:31 Counter no. ___

A few graduating seniors have dedicated some messages to the first- and second-year classes. Match each senior with his or her message by placing a check mark in the corresponding box.

1. Hola, amigos, les habla Anita Almaguer. Les envío este cariñoso mensaje: sugiero que se dediquen a sus estudios, pues son la llave del éxito. No tengan miedo escalar montañas para conseguir todo lo que quieren.
2. ¡Hola, soy Beto Carmona! Tengo un mensaje para mis compañeros. Es importante que sean optimistas. No le tengan miedo a nada. Concéntrense en lo bueno.
3. Lisa Rivas les envía este mensaje. Pidan ayuda cuando tengan problemas. Hay muchas personas que pueden ayudarles: algún amigo, un consejero o un profesor. También es importante que traten de hacer más ligero el trabajo de otra persona. Cuando dan a otras personas, en realidad son ustedes los que reciben.
4. Jorge Velasco les ofrece los siguientes consejos: traten siempre de conservar a los buenos amigos. Les recomiendo que escuchen más y hablen menos. Así pueden aprender mucho.

Audio Activities, p. 134, Actividad 14.5.
(Use after *Gramática en contexto,* p. 479.)
4:57 Counter no. ___

See how well you do in this game of *Juego de memoria.* Answer questions in three categories: word analogies, Hispanic culture, and personal responses. When you have answered all the questions, add up the points to determine your score. Good luck!

1. Aquí tienen las tres preguntas de diez puntos. Para la categoría de analogías: patinar es a hielo como dar saltos es a . . .
2. Por diez puntos en la categoría de cultura: ¿cuál es la moneda de España?
3. Por diez puntos en la categoría de respuestas personales: ¿cómo te diviertes?
4. Ahora las preguntas valen veinticinco puntos: un profesor es a una escuela como un doctor es a . . .
5. Por veinticinco puntos en la categoría de cultura: ¿quiénes fueron Diego Rivera y Frida Kahlo?
6. Por veinticinco puntos en la categoría de respuestas personales: ¿qué te gustaba hacer de pequeño?
7. Ahora por cincuenta puntos en la primera categoría: un pastel es para un cumpleaños como un diploma es para . . .
8. Por cincuenta puntos en la categoría de cultura: ¿cómo se llaman las celebraciones en Latinoamérica que empiezan en febrero y se celebran con desfiles, música y disfraces?
9. Por cincuenta puntos en la categoría de respuestas personales: ¿qué haces tú para conservar energía?